ホテル　カクタス

江國香織
画　佐々木敦子

JN276189

集英社文庫

ブックデザイン／高橋雅之（タカハシデザイン室）

ホテルカクタス
Hotel Cactus

ある街の東のはずれに、ふるいアパートがありました。ふるい、くたびれたアパートです。灰色の、石造りのその建物は、でも中に入るとひんやりとしてとても気持ちがいいのでした。

ホテル　カクタス、というのが、このアパートの名前でした。ホテルではなくアパートなのに、そういう名前なのでした。

ホテル　カクタスにはごく小さな中庭があり、そこにはたいてい黒猫が一匹ねそべっていました。十三歳になる雄猫で、大家さんに飼われているのでした。かつては随分伊達者《だてしゃ》で、放蕩《ほうとう》の限りを尽くしましたが、いまでは昼寝ばかりしている年寄り猫です。

このアパートの玄関を入ると、室内とも室外ともいえない空間があります。右側の壁に郵便受けが並んでいて、左奥に鉄の蛇腹戸《じゃばらど》のついたエレベーターがあり、その先は狭い通路になっていて、つきあたりが中庭です。玄関ホールの床は黒と白のタイル貼りでしたから、上等の靴をはいた人が入って来ると、コツコツと音が響きました。でも、ここには、上等の靴をはいた人は滅多にやってきません。

アパートは三階建てでした。一つの階に四つの部屋がありましたから、全部で十二の部屋がありました。三階の一角に帽子が、二階の一角にきゅうりが、一階の一角に数字の2が住んでいました。

三人は気の合う友達でした。夜になると、いつもきゅうりの部屋に集まって、語り合ったり、お酒を飲んだり、音楽を聴いたりして、一緒にすごすのでした。そういうとき、帽子はいつもウイスキーを飲みました。きゅうりはビールを飲みました。数字の2はお酒が飲めませんでしたから、グレープフルーツジュースを飲みました。そういうわけで、きゅうりの部屋にはいつも、ウイスキーと、ビールと、グレープフルーツが準備してあるのです。

一度、きゅうりの故郷から、たくさんのいちごが送られてきたことがありました。きゅうりは数字の2のために、それで新鮮ないちごジュースをつくろうと申し出たのですが、2は困ったようにうつむいて、やがて決心したように、

「やめておくよ」

と、言ったのでした。

「僕がグレープフルーツジュースを飲むのには理由があるんだ。グレープフルーツならー年中いつでもあることがわかっているからさ。安心なんだ。これが桃であってごらんよ。秋にはもう飲めなくなってしまう。果物屋にいけば絶対に手に入るものじゃなきゃだめなんだ」

きゅうりには、その理屈はわかりませんでした。

「だって、きみはいま、現にいちごを手に入れてるじゃないか」

そう反論してみましたが、無駄でした。2は弱々しく首をふり、

「いつでも手に入る、というところが大事なんだ。きみにはきっとわからないよ」

と、言うのでした。数字の2は、そういう性格なのでした。

ですから、友達にうちとけるのにも、いちばん時間がかかりました。

ここだけの話ですが、2は、はじめ、帽子ときゅうりが苦手でした。それがどうして気の合う友達になったのか、そこのところからお話しすることにしましょう。

きっかけ

三人のうち、いちばんの古株は帽子でした。2が引越して来たとき、帽子と2は互いに相手に興味がありませんでした。帽子はたいていのことに無頓着《むとんちゃく》でしたし、2はたいていのことに疑心暗鬼になる質《たち》だったからです。もちろん、すれちがうときには挨拶《あいさつ》くらいしましたが、それだけのことでした。2は、内心帽子のことを、「うさんくさい」と思っていました。

そこにきゅうりが引越して来たのです。2は、今度は無関心ではいられませんでした。というのも、きゅうりは無類の運動好きなのです。部屋に様々な運動器具を持ち込んで、日々体を鍛えています。2はきゅうりの真下の部屋に住んでいましたから、どしんどしんという音と共に天井から埃《ほこり》が落ちてきたり――きゅうりは縄跳びをしていたのです――、ぎしぎしシャーシャーいう音で明け方の眠りを妨げられたり――きゅうりは室内自転車に乗っていたのです――、ゴトン、という大きな音と共に部屋が揺れたり――きゅうりがバーベルを落としたのです――、いろいろと辛《つら》い目にあっていたのです。

とうとう我慢の限界を越え、数字の2は、きゅうりに苦情を述べにいきました。いざこざが嫌いで人見知りをする2にしては、これは大胆なふるまいと言わなければなりません。

ドアを開《あ》けたきゅうりは、汗をかき、息をはずませていました。でも、このとき2の目を引いたのは、きゅうりの汗でも呼吸でもなくて、首に巻きついた金の鎖でした。

(悪趣味な奴《やつ》だ)

2はそう思いました。

「体操中おじゃまして申し訳ありません」

2は、そんなふうにきりだしました。

「いえ、いえ」

きゅうりはにこにこしてこたえました。

「そんなところに立っていないで、どうぞ中に入って下さい」

故郷からはるばるこの街にやってきたばかりの人の好《い》いきゅうりにとって、2は、はじめてのお客さんでした。

「いや、もうここで」

2は言うと、おずおずと用件を述べました。騒音に迷惑していること、埃も落ちてくること、あまつさえ部屋が揺れ、壁に掛けたカレンダーがしょっちゅう曲がってしまうこと。2は几帳面《きちようめん》な性質で、壁のカレンダーはぜひとも真《ま》っ直《す》ぐにしておきたいものなのでした。

「そりゃ大変だ」

きゅうりは同情を込めて言い、

「僕が運動好きなばっかりにすみません」

と、あやまりました。元来素直なのです。

「何か僕でお役に立てることがあれば、何でもおっしゃって下さい。よろこんでお手伝いしますよ」

きゅうりは言い、片手を差し出しました。

「ありがとう」

2はこたえましたが、なんだかけむにまかれたようで、釈然としませんでした。

「ところで、やっぱりちょっと入りませんか」

「いや、もうここで」

2はもう一度、言いました。

「そうですか。それは残念だな。今度時間のあるときに、ぜひゆっくり遊びに来て下さい。幸い、ここは静かですから」

これを聞いて、2は憤然としました。ようやく、きゅうりがちっともこたえていないことに気がついたからです。

「それで、体操はやめてくれるんですか?」

と、語気強く尋ねました。これを聞くと、今度はきゅうりの方がおどろいてしまい、

「体操を? なぜ?」

と、訊《き》き返す始末でした。2は二の句が継げませんでした。

おおらかな土地に育ち、根っからおおらかに出来ているきゅうりには、2がどうしてこんなに怒っているのか、さっぱりわかりませんでした。世の中に運不運はつきものなのです。静かな部屋に住める者もいれば、騒々しい部屋に住む者もいる。きゅうりの父親の言葉を借りれば、「それが世の常」ですし、母親の言葉を借りるなら、「神様のお決めになったことに不平を言ってはいけない」のです。

「一緒に来たまえ」

にがりきった2は、そう言うと、きゅうりを従えて、帽子に相談にいきました。というのも、帽子の部屋はきゅうりの真上でしたから、帽子も迷惑しているに違いない、と思ったからでした。

2が帽子に事情を説明するあいだ、きゅうりは、理由はよくわからない乍《なが》ら申し訳ない気持ちでそばに立っていました。きゅうりの両親は息子を厳しく育てましたし、理由はどうあれ他人様《ひとさま》に迷惑をかけることだけはしちゃいけない、と、つい先日も、親族揃《そろ》ってのきゅうりの送別の夕食会の席で言われていたからです。

「俺は気にならないよ」

説明を聞いた帽子はあっさり言いました。これには2は非常に失望させられましたが、きゅうりは救われた気持ちになりました。

「僕もちっとも気になりません」

嬉《うれ》しさのあまり、そんなことを言ってしまったほどでした。きゅうりは、勇敢で礼儀正しく、心根の真っ直ぐな若者でしたが、物事を深く考えないところがありました。

「でも、あんたは気になるんだろう?」

帽子に尋ねられ、2はこっくりうなずきました。うなずくのが精一杯でした。状況が辛すぎて、きゅうりの運動のことはもうどうでもいいから、早く部屋に帰って頭痛薬を飲みたい、というのが正直なところでした。2は、辛いことがあると、すぐに頭やおなかが痛みだすのです。

「じゃあ、まず天井の掃除をして、埃が落ちようにも落ちられないようにすることだな」

帽子はにやりとして言いました。

「それからお前は部屋にぶ厚いじゅうたんを敷く。あとは野となれ山となれ、だ」

最後のは、単に帽子の口癖でしたが、きゅうりも数字の2も、このときはまだそれを知りませんでした。

「いい考えですね」

きゅうりは言い、帽子に片手を差し出しました。

「よかったら、これからこの方の部屋に遊びにいきませんか?」

2はびっくりしました。この方、と言うとき、きゅうりの反対の手が、自分を指し示していたからです。

「いいね。酒を持っていこう」

2がさらにめんくらったことに、帽子はそうこたえたのでした。

その日、帽子ときゅうりは明け方まで2の部屋にいました。2は、困惑しながらもつまみを準備したり、帽子がこぼした煙草《タバコ》の灰を拭《ふ》きとったりしつつ、グレープフルーツジュースを飲んでつきあいました。もともと優柔不断なところがあるのです。

それに、2には親しい友達がいませんでしたから、帽子ときゅうりは、2にとってはじめてのお客さんでした。

自分の部屋にお客さんがいる、というのは、悪くない気分でした。

帽子ときゅうりは、2の部屋をほめました。

「とてもよく整頓されている」

と帽子が言えば、

「実に寝心地のいいソファだ」

ときゅうりが言う、という具合です。ほめられるのも、悪くない気分でした。2は、つい、自分の珠算検定の賞状や、小さい頃のアルバムなどを披露してしまいました。

そうするうちに、きゅうりが突然ぱきっと立ち上がり、

「そうだ、ついでに掃除を手伝いましょう」

と言いだして、自分の部屋から梯子《はしご》を持って来て、たちまち天井を磨きあげてく

れました。きゅうりは、その梯子を、アクロバットの練習用に、通信販売で買ったのだと説明しました。そして、帽子と2に促されるままに、てっぺんに足を掛けて逆さまにぶらさがったり、片手倒立で上手《うま》くバランスをとったりしてみせて、やんやの喝采《かっさい》を受けました。

（案外いい奴じゃないか）

2は、きゅうりをぐんと見直しました。そして、空が白みはじめ、カラスの鳴き声が聞こえて二人が帰ってしまうと、とても淋《さび》しく感じたのでした。

三人の部屋

数日後、きゅうりと帽子が揃《そろ》って遊びにやって来たとき、2は、自分でもおどろくほど嬉《うれ》しい気持ちになりました。

「これはこれは、お二人とも」

2はドアを開《あ》け、二人を迎え入れました。

「あんたがいま忙しくないといいんだが」

帽子が言いました。

「忙しくはありません。きちんと一日の仕事を終え、帰ってきたところですから」

「それはよかった。じゃあ一杯飲ませてもらうことにしよう」

帽子が部屋に上がると、きゅうりも、

「僕はかまいません。あなたが忙しくても忙しくなくても、僕は全然かまいませんから、どうぞお気づかいなく」

と、さわやかに言って入ってきました。

その晩も、三人は楽しくすごしました。2の部屋は掃除がいきとどいて清潔でしたし、ラジオからは、おしゃべりのじゃまにならない程度のヴォリウムで、音楽が流れていました。

「あんたは何の仕事をしているんだね?」

帽子が、2に尋ねました。

「役場に勤めています」

2は胸をはってこたえました。街の人々のために働いている、ということに、誇りを持っているのです。

「ほう」

でも、帽子はそう言っただけでした。

「役場? そりゃまた堅苦しそうな職場だね」

きゅうりに至っては、そんなことを言いました。2は、ちょっと気を悪くしました。

帽子は、無職でした。かつて行商をして貯めたお金で、ほそぼそと食いつないでいます。ときどき道に椅子《いす》と机を持ちだして、通行人の運勢を占ってお金をもらったり、新聞の求人広告を見て、短期の仕事――映画のエキストラとか、ビラくばりとか――があると、出かけていってそれをしたりしていました。また、古道具屋でぼろぼろの壺《つぼ》だの茶釜《ちゃがま》だのをみつけては安く買い、行商をしていた頃に身につけた口上をつかって、お金持ちに高く売りつけたりもしていました。帽子は大変な読書家で、歴史にも精通していましたから、それらの古道具にもっともらしい価値を与えることくらい、朝めし前なのでした。

「これ、食べていいかい?」

台所から、きゅうりが訊《き》きました。両手に、玉子を一つずつ持っています。

「僕は玉子が大好きなんだ。玉子はおいしいし、栄養があるからね」

きゅうりは、栄養を気にする質《たち》でした。

「ああ、もちろん。御遠慮なく」

2がこたえると、きゅうりは手際よく料理をし、バターと塩胡椒《しおこしょう》のきいた、ふわふわのいり玉子をつくりました。

そんなふうに楽しくすごし、夜遅くに二人が礼を言って帰っていくと、2はとてもくたびれました。部屋はひどくとり散らかっています。お酒くさいので、2は窓を開けました。

「ああ、いい空気だ」

星がでています。夜気はしっとりと濡《ぬ》れ、窓から顔を出している2の鼻先を、気持ちよくひやしてくれました。

2は頭が混乱していました。帽子ときゅうりがやって来たとき、ひどく嬉しかったのは事実です。いま、こうして急にがらんとしてしまった部屋の中が、とても淋《さび》しくて困るのも確かです。2は、自分が彼らの訪問を、喜んでいるのか迷惑がっているのか、いくら考えても見極めがつきませんでした。

2は、頭を抱えました。割り切れない、というのは2の性に合いませんでした。2には我慢の出来ないことなのです。2の頭上遠くでは、星が美しくまたたいています。

その頃、帽子はペットのカメたちに、寝る前の夜食をやっていました。カメたちは大人しいので、都会で飼うにはいちばんのペットだ、と、帽子は考えているのです。

「たくさんお食べ」

やさしい声で、言いました。

きゅうりは、両親に手紙を書いていました。シャワーを浴びたあとなので、身体《からだ》の緑が隅々まで冴《さ》え、石けんの匂いがして、ぱきっとしています。これがきゅうりの手紙です。

おとうさん、おかあさん、げんきですか。ぼくはげんきです。まいにちちゃんと、からだをきたえ、けんこうてきにくらしています。どろぼうも、わるいくすりもやっていません。わるいおんなにもつかまっていません。おとうさんたちがしんぱいしていたような、とかいのあくじとはむえんです。

ガソリンスタンドのてんちょうはこうじんぶつです。ぼくがりっぱなはたらきをしているので、なつになったらボーナスをくれるそうです。

ともだちもできました。ぼうしと、すうじの2です。ふたりとも、あまりけんこうてきにはみえませんが、しんせつなひとたちです。

おとうとたち、いもうとたち、じいちゃん、ばあちゃん、ひいじいちゃん、ひいばあちゃん、そのたおおぜいによろしくおつたえください。

あいをこめて。　　　きゅうり。


それからも、帽子ときゅうりは連れだって、しょっちゅう2のところに遊びにいきました。そんななりゆきでしたから、はじめのうち、三人の集まる場所は、2の部屋だったわけです。

2は、依然として割りきれない気持ちでした。帽子ときゅうりがやってくれば嬉しいのに、帰ると淋しい。しかも掃除が大変です。おまけに2は律儀でしたから、二人が訪ねて来ない日でも、もしかして訪ねて来るかもしれない、と考えて、ウイスキーやビールを用意してしまいました。それで二人がやって来ないと、がっかりしていいのかほっとしていいのかわからなくて、また思い悩んでしまうのでした。

それで、あるとき、2は意を決して、二人にそれを打ちあけました。悩むことに疲れてしまったのです。

「なんだって?」

きゅうりはおどろいて言いました。

「まさか、きみ、そんなことでずっと悩んでいたんじゃないだろうね」

そして、帽子と二人、異口同音に、

「おもしろい性格だなあ」

と、言いました。

「だったら僕の部屋に来ればいい」

きゅうりが言い、

「俺の部屋でもかまわないが」

と、帽子も言いました。2は、急に視界が晴れた気がして、すっきりしました。

これでもう悩まなくてすむのです。

「お二人がいてくれてよかった」

2は感激して言いました。

「お二人がいなかったら、僕はお二人の訪問について、ずっと一人で悩むことになっていたところですよ」

相談出来る友達がいるというのは心強いことです。

三人は、帽子の部屋ときゅうりの部屋を、ひととおり見てまわったあと、満場一致で、これからはきゅうりの部屋に集まることに決めました。帽子には、掃除をするという習慣がありませんでしたから、堆《うずたか》く積まれた本のあいだに蜘蛛《くも》が無数の巣をはりめぐらせ、そこらを自由にカメが歩きまわっているばかりか、本にもカメにも蜘蛛の巣にも、埃《ほこり》が厚く降り積もっているのでした。

「うひゃあ」

きゅうりは頓狂《とんきょう》な声をだして跳びのき、

「僕は廊下で待っています」

と青ざめた顔で言いましたが、2はなかなか忍耐強いところをみせて、奥まで見学し、

「非常に文学的ですね」

と、感想を述べました。2にとって、文学は謎《なぞ》でした。ですから、あやしいものや、不気味なものは、すべて「文学的」なのでした。2にとって、それは便利な言葉でした。

「わかるかね」

帽子も満足そうです。

さて。きゅうりの部屋です。

ここは大変清潔でした。電気がぴかぴかと明るく、さまざまな運動器具を照らしています。室内自転車やベンチプレス機、腕立て伏せをするための、重りつきの把《と》手《って》までありました。壁に据えられた専用の台には、二種類のバーベルが掛かっています。

でも、他には何もありません。

「椅子はないのかい?」

2が不思議そうに訊きました。

「灰皿はどこかな」

帽子がひとり言のようにつぶやきました。きゅうりは両肩を持ち上げて、そんなものないさ、という気持ちを伝えます。きゅうりは煙草《タバコ》など吸いませんでしたし、身も心も真《ま》っ直《す》ぐですから椅子に座ることは出来ません。

そこで、帽子は灰皿を、2は椅子を、それぞれ自分の部屋から持って来ることにしました。ついでに、帽子は古びた壷を、2は、役場に余っていて持ち帰った観光用のポスターを一枚——風光明媚《ふうこうめいび》な海辺の写真でしたが——持ってきました。二人とも、きゅうりの部屋はあまりにも殺風景だと思ったのでした。

「これでだいぶ部屋らしくなった」

勝手な場所にポスターを貼り、椅子や壷や灰皿を置くと、帽子と2は言いました。

どれもきゅうりには不要なものでしたが、

「そうかな」

とこたえたきゅうりは、なんとなくそんな気がしてきましたので、

「うん、そのとおりだ」

と、言い直しました。

こうして、きゅうりの部屋は、三人の部屋になりました。

その晩、自分の部屋に戻ってベッドに横になった数字の2が、ひさしぶりにやすらかで幸福な気持ちだったことは、言うまでもありません。気に入りの、水色の毛布にくるまって、のびのび――まるで、数字の1のような恰好《かっこう》になって――眠りに落ちました。

ばくち

帽子は、ばくち打ちでした。ポーカーもサイコロも、ボートレースもドッグレースも、賭《か》け事ならばなんでもやりました。

中でもいちばん好きなのは、競馬でした。芝よりもダートが好きで、ぼどだぼどだぼどだ、と、力強い音とともに土煙を上げて走る馬を見ると、血が騒ぎました。

そこで、ある晩《おそ》い春の日、三人は連れだって、競馬に出かけました。

「いい日だなあ。競馬日和《びより》だなあ」

アパートを出ると、午後の陽射しに目を細め、通りを歩きながら、きゅうりが言いました。はじめてのことをするとき、きゅうりはいつも、わくわくするのです。

「僕はなんだか緊張します」

2が言いました。

「ルールをよく知らないし、賭け事には不慣れなものでね」

バスの停留所で、三人は競馬新聞を買いました。競馬新聞には、きょう走る馬たちの、名前や調子や体重がでています。

バスの中で、新聞はもっぱら2が独占して読んでいました。帽子は、すでに前の晩に熟考して、大事なことをみんな頭に入れてありましたし、きゅうりは字を読むのが好きじゃありませんでしたから。つり革を使って懸垂をしたり、ポケットからサングラスをだしてかけたりしながら、きゅうりは気持ちが高まってゆくのを楽しみました。

競馬場につくと、三人はキップを買って、席に座りました。そこは六階席でしたから眺めがよく、遠くに、街や海が見えました。

「いいぞ」

帽子が言いました。

競馬場の建物は、うす汚れたピンクのコンクリートで出来ていました。それは、2の目には「まるで学校のよう」に、きゅうりの目には「ねずみがいそうな雰囲気」に、そして、帽子の目には「非常に愛らしく」、見えました。

三人は、庭を抜けて観覧場へいきました。庭には、食べ物の屋台や賭けの予想屋が出ていて賑《にぎ》やかです。

「人が大勢いるなあ」

2が、目をまるくしました。

観覧場には、もっと大勢の人がいました。みんなここで馬を見て、どの馬に賭けるか決めるのです。

三人は、人をかきわけていちばん前に出ました。柵《さく》の向こうを、馬たちが一列に並んで、ゆったりと歩いています。胸をはり、堂々と歩く馬、なんだよなんだよ、なんでこんなところを歩かなくちゃならないんだよ、と言っているみたいに見える馬、気怠《けだる》げにのたりのたりと歩く馬。黒い馬、茶色い馬、大柄な馬、小柄な馬、いななく馬、寡黙な馬、様々です。しっぽにりぼんをつけた馬もいます。

「やあ、ひさしぶり」

帽子が、一頭の馬に挨拶《あいさつ》をしました。

「知り合いですか？」

2が尋ねると、帽子は、まあな、と、こたえます。

きゅうりは、いっぺんで観覧場が気に入りました。いろいろな馬に会えておもしろかったからです。

「僕はあの馬にします。ぴょんぴょんと跳ねて、元気そうでしたから」

三人は、満足して、窓口に馬券を買いにいきました。

「どの馬を買ったの?」

席に戻ると、きゅうりが二人に訊《き》きました。

「俺はまだ買わない」

帽子がこたえたので、きゅうりと2は不思議に思いました。せっかく来たのに買わないなんて変わっている、と、思ったのです。ばくち打ちというのは、でも、おうおうにして、そういうものなのです。

「僕は5番の馬を買いたかったんだけど」

言いにくそうに、2が告白しました。

「買わなかったのかい?」

きゅうりが尋ねると、2は困ったようにうつむいてしまいました。

「だって、僕は数字の2だろ。2番の馬を買ったさ。ほかにどうしようもないじゃないか」

変わっている、と、きゅうりも帽子も思いましたが、口にはだしませんでした。

「人にはそれぞれ事情があるな」

帽子が、重々しく言いました。

青い空です。三人の頭上高くを、カモメが旋回しています。レースごとに、馬たちが次々に出て来て、次々に走り抜けていきます。その姿は、それだけで、三人の胸をみたしました。

2は、2番の馬ばかり買い続けました。きゅうりは、観覧場で気に入った馬——筋肉がひときわ立派に見えた馬、とか、泡立った汗がしゃぼんのように美しく見えた馬、とか——を買い続けました。帽子は、最後のレースにすべてを賭ける気でしたから、それまでは何も買いませんでした。

だんだんと陽が傾き、競馬場中を金色にそめています。金色の陽射しは、馬たち

をとりわけ美しく見せました。

「いいなあ」

きゅうりが、うっとりと言いました。

一度、2番の馬が三着になりました。三着でも立派でしたから、2は、誇らしい気持ちになりました。そして、

「僕は、次に競馬に来たら、またあの馬の馬券を買います」

と、宣言しました。それは、小さな茶色の馬でした。

さて、最終レースです。帽子がいよいよ馬券を買うというので、2ときゅうりは緊張しました。

「勝負だな」

帽子が低い声で言ったので、その緊張は高まりました。ファンファーレが鳴り、旗が振りおろされれば出走です。三人は、今回は六階席じゃなく、地上のレーストラック脇で見守ることにしました。

「ああ」

2がうめきました。

「困った。自分の買った馬に勝ってほしいのか、帽子の買った馬に勝ってほしいのか、さっきからずっと考えているんだけどわからない」

きゅうりはあきれました。

「おもしろいことを言うなあ」

帽子は何とも言いませんでした。それどころではありませんでした。出走したのです。ぼどだぼどだぼどだ。十四頭の馬たちが、われさきに駆け抜けていきます。

あたりはもう夕闇《ゆうやみ》です。

「いけーっ」

きゅうりが絶叫しました。ぼどだぼどだぼどだぼどだ。

誰も見上げていませんが、空には星がまたたきはじめています。

けっきょくのところ、誰も賭けには勝ちませんでした。最終レースに『すべてを賭け』た、帽子もです。ばくち打ちには、おうおうにして起こる試練です。

「ああ、おもしろかった」

出口に向かってぞろぞろと歩きながら、きゅうりと2は口を揃《そろ》えて言いましたが、帽子は言いたくないようでした。

「早く忘れよう」

かわりに、そんなことを言いました。

でも、無論、きゅうりも2も、こんなに楽しかった一日を、忘れたくはないのでした。

いまここに必要なもの

雨が降っています。

三人は、いつものようにきゅうりの部屋に集まって、好きなものを飲みながら、それぞれ天井や、窓の外や、手元のグラスを見つめていました。

「つまらないなあ」

きゅうりがぼやきました。

「こう天気が悪くっちゃ、どこへも遊びにいかれない」

確かに、雨はもう三日も降り続いています。日曜日だというのに、三人は部屋の中です。雨音のほかに、ときどき「ちゃぽん」とか「ごぼ」とか、地面が水をはき出すみたいな音がしますから、地面も、もう水を飲み飽きているに違いありません。

「せめてここにトランポリンがあればなあ」

雨の日、きゅうりの緑は、ひときわ冴《さ》え冴《ざ》えとして見えます。

「トランポリン?　いま?　ここに?」

帽子は眉《まゆ》をひそめ、2は首をすくめて、同意しかねることを示しました。

「うん。トランポリンがあれば、その上で跳んだりはねたり出来るだろ。そしたらきっと、気持ちが晴れ晴れするじゃないか」

きゅうりは力説しましたが、帽子も2も賛成しませんでした。手に持ったグラスを揺らし、氷をカラカラいわせただけでした。

「ふん。想像力のない人たちだなあ」

きゅうりは腹をたてて言いました。

「現実的なことを言うようですけど」

2がおずおずと口を開きました。

「いまここに必要なのは、やっぱりお金じゃないかなあ」

このあいだの競馬ですってしまいましたから、三人とも、ほとんど無一文でした。

そうそう、あのあと、三人がどうやってアパートに帰って来たと思います?　最終レースに賭《か》けるとき、帰りのバス代をちゃんととりわけておいたのは、2だけだったのです。帽子の財布もきゅうりの財布も、すっかり空《から》でした。

「信じられない」

2はあきれましたが、その言葉には、ほんのすこし憧《あこが》れが込められていました。一体どうすればそんなふうに無謀になれるのか、2には見当もつかなかったからです。きゅうりはへいちゃらでした。いい機会だと言って、アパートまでジョギングをして帰りました。きゅうりが言うには、「ジョギングは有酸素運動なので、きゅうりの果肉をひきしめ、体内の水分をきれいにする」そうです。困ったのは帽子です。バス代はないし、かといってジョギングなどごめんです。仕方がなく、2は、帽子をかぶって帰りました。そうすれば一人分のバス代で、二人とも帰れますからね。

「金？　いま？　ここに？」

帽子は眉をひそめ、きゅうりは天をあおいで、同意しかねることを示しました。

「物事がわかってないな」

帽子が言いました。

「いまここに必要なのは、たとえば、ウイスキーだ」

「飲んでるじゃないですか」

きゅうりが言いました。

「じゃあ、たとえば、煙草《タバコ》」

「吸ってますよ」

2もとがめます。

「ふん」

帽子は鼻を鳴らしました。

「いまあるものを言っちゃいけないという決まりでもあるのか」

ぶつぶつ文句を言っています。

「わかった！」

それまで寝ころがっていたきゅうりが、ぴょんと立ち上がって言いました。

「外国だ！　いまここに必要なのは外国だよ」

「海はあるかな」

2が訊《き》きました。

「もちろん、ある」

「しましまのパラソルが立っているかな。アイスキャンデー売りがいて？」

そのとおり、と、きゅうりがうなずくと、2はうっとりと目を閉じました。

「波は穏やかだろうね。ココナッツオイルの匂いがするかもしれないな、若い女の子たちがいれば」

「バーはあるのか？」

帽子が口をはさみました。

「料理はうまいんだろうね」

「肉も魚も果物も！」

きゅうりがうけあいます。

「外国には鉄道が走っているよな。車掌は恰好《かっこ》いい制服を着ているだろうね。なにしろ外国の鉄道の車掌なんだから」

「もちろん」

きゅうりは言い、

「競馬場もある。動物園も。美術館も」

と、次々に並べます。

「遊園地にいったら、観覧車に乗ろう」

2が、あとをひきとって続けました。

「カメを連れて散歩の出来る公園も要るな。海があるといいんだが」

三人は、それぞれてんでに「外国」を思い描きました。

朝のパン屋には焼きたてのパンが並んでいる、とか、美しくネオンのまたたくカジノがあって、そこで夜どおし賭けが出来る、とか、サーカス小屋があり、そこの団長が僕をスカウトするかもしれない、とか。

アパートの外は、依然として雨が降り続いています。三人は、依然として大井や、窓の外や、手元のグラスに視線を注いでいましたが、心では、別のものを見ていました。

「まちがいない」

帽子がつぶやきました。

「いまここに必要なものは、外国だ」

それが、きょうの三人の、結論です。

恋

初夏です。街路樹の緑は濡《ぬ》れたように透明で、風はかぐわしく、空気はひかっていて、帽子と、2と、きゅうりは、恋をしました。アパートに、新しく越して来た女の人にです。彼女は、ほっそりとして、いつも白いワンピースを着ており、連れているプードルまで真っ白なのです。

「あんなにかわいい子は見たことがない」

きゅうりが言い、

「かわいいというより、上品なんだ」

と、2が言うと、帽子はかぶりをふりました。

「とんでもない。その両方だ」

彼女はもちろん上等な靴をはいていましたから、玄関に入って来ると、コツコツと音がしました。すると三人は部屋を飛び出し、いかにも偶然会ったような顔をし

て、

「やあ」

とか、

「こんにちは」

とか、

「いいお天気ですね」

とか、挨拶《あいさつ》をするのでした。女の人は、きゅうりにだけとびきりの笑顔を返す、と、きゅうりには思えましたし、2にだけ特別やさしい、と、2には思えました。帽子の前でだけ頬《ほお》をあからめる、と、帽子は信じて疑いませんでした。

そこで、三人はそれぞれ、彼女にデートを申し込むことにしました。廊下で挨拶をするだけじゃあ、埒《らち》があきませんからね。

ところで、かんじんの彼女ですが、彼女には、恋人はいませんでした。素敵な男性がいたらおつきあいしてみたいな、と、ちょうど思っているところでした。ですので、三人のデートの申し込みを、ためしに全部、うけてみることにしました。み

かけによらず、積極的な女性です。

「僕は彼女をサイクリングに連れていく」

　きゅうりが言いました。

「それから一緒に踊りにいくぞ。楽しいだろうなあ」

「僕は、たぶん、映画だな」

　2が、考え考え、言いました。

「恋愛映画がいいのか、マフィアものがいいのか、わからないけれど。で、映画のあとは、やっぱり食事だろうな。鴨肉《かもにく》のサラダがいいのか、ピザとコーラがいいのか、わからないけれど」

「お前たちは二人とも物事がわかってないな」

　帽子が、しかつめらしく言いました。

「デートは、自分の部屋でするのがいちばんいいんだ。金がかからないし、ありのままの自分を見てもらえる。あとは野となれ山となれ、だ」

　そんなふうに言いながら、でも、三人が三人とも、とてもとても緊張していました。きゅうりは女性を誘うのがはじめてでしたし、2は、二度目で一度失敗しています。帽子に至っては、何もかも遠くて思い出せないほどひさしぶりのことでした。そういう場合、誰がいちばん緊張する立場かは、判断のむずかしいところです。

いずれにせよ、世界は、歌うように心愉しい初夏なのです。

かわいい子とのデートに、きゅうりは、新しいTシャツを着て出かけました。サイクリングもダンスもし、おまけに公園でアクロバットを披露《ひろう》することも出来ました。彼女はとても楽しそうに見えました。

一週間後、上品な女性とのデートに、2は、スーツを着て出かけました。

「もっとカジュアルな恰好《かっこう》の方がよかったかな」

心配になってそう尋ねると、彼女は上品に微笑《ほほえ》んで、

「かまわないわ」

と、言ってくれました。

その一週間後、かわいくて上品な人とのデートに、帽子は「ありのまま」の恰好で臨みました。ヨレヨレの、色あせた古い帽子そのものの恰好です。その恰好の

自分は、「金はないが風格はある」と、帽子は思っていました。見る目のある女なら、きっとそれがわかるはずです。

デートは、三つともそれぞれに、大変うまくいきました。すくなくとも、三人はそう思いました。

ですから、のちに彼女から、

「私、あなたがたとデートが出来て、とても楽しかったわ。でも、これっきりにさせて下さい。気を悪くなさらないでね」

という手紙が来たときにはおどろきました。思わず理由を尋ねにいってしまったほどでした。

彼女はちょっと首をすくめて、プードルにブラシをあてながら、

「だって、仕方がないわ」

と、言いました。

「一人はちょっと軽薄だし、一人はとっても優柔不断で、一人はひどくむさくるしいんだもの」

三人は愕然《がくぜん》としました。

「あけすけな子だなあ」

その夜、ビールを飲みながら、きゅうりは言いました。

「女なんてみんなそうさ」

帽子はつぶやき、煙草《タバコ》のけむりを細くながく吐きました。

「でも、僕たちにも反省の余地はある」

そう言ったのは、2だけでした。

みんな、口にはだしませんでしたが傷ついていました。彼女は素敵な女性でしたし、隣で微笑んでくれていたら、人生がずっと違うものになる、と、思えました。

三人は、しばらく黙ってそれぞれの思いにふけりました。

「かわいい子だったのに」

「上品な子だったのに」

「その両方だったのに」

世界は、美しくみずみずしい初夏でした。

ある日曜日の発見

すばらしくよく晴れた、ある日曜日の朝のことです。たまたま牛乳をきらしていたきゅうりが、朝食のためのそれを雑貨屋に買いにいくと、新聞を買いに来ていた2と、ばったり顔を合わせました。

「やあ、おはよう」

「気持ちのいい朝だねえ」

二人は挨拶《あいさつ》をかわしながら、それぞれ牛乳と新聞を買って、一緒に外に出て歩きました。

「せっかくだから、すこし散歩をしようか」

「いいねえ、公園にいこう」

そういうわけで、二人はすぐそばの、小さな公園にいきました。新緑の季節でした。大きなマロニエの木が、たっぷりと葉をつけた枝を、弱い風に揺らしています。

ブランコがあり、子供たちが遊んでいます。犬の散歩をさせている人や、ジョギング中の人たちとすれちがいました。

きゅうりと2は、二人ともあることを考えていました。そのあることを、先に口にしたのはきゅうりでした。

「いやあ、さっきはびっくりしたな。あんなところでばったり会うなんてさ」

きゅうりは、まずそう言いました。

「それで、いままで気づかなかったことに気づいたんだ」

偶然だね、と、2はこたえました。

「僕もさ」

と。でも、2は、それを言ってもいいものかどうか迷いました。きゅうりは迷いませんでしたので、

「きみは、おもてで見ると別人のようだね。日曜だっていうのにワイシャツとズボンなんか着ちゃって、新聞なんか買って、おまけにその新聞の買い方がきどっていて、つまりこう片手でさ、小銭を渡すと同時に新聞を受けとっただろう？　まるで

どっかの嫌みな役場づとめ野郎みたいに見えたから、あやうくきみだとわからないところだったよ」

と、屈託なく言いました。

2はむっとしかけましたが、別人のようだということは、実際の2は「どっかの嫌みな役場づとめ野郎」ではない、ときゅうりが考えていることがわかりましたので、文句を言わないことにしました。

「きみだって」

かわりに自分の気づいたことを言いました。迷いがなくなったわけです。

「きみだって別人のように見えたよ。いかにも筋肉自慢って感じで、これみよがしのランニングシャツがね、なんていうか、ちんぴらっぽかった。アパートから雑貨屋までは歩いて五分もかからないのに、わざわざサングラスを頭にのっけてるしさ、どっかの、しゃれのめした不良かと思っちゃったよ」

きゅうりにとって、「しゃれのめした不良」はやぶさかじゃありませんでしたから、きゅうりは照れくさそうに、

「そうかい？」

と、言いました。

それから二人はベンチに並んで腰掛けました。こまどりやすずめが、パンくずでも投げてくれないかと期待して、足元に何羽も集まって来ます。二人は、いまこうしてベンチに並んで腰掛けている自分たちが、周りの人たち――や小鳥たち――の目にどう映っているか想像しようとしました。自分たちのさっきの発見が正しければ、「嫌みな役場づとめ野郎としゃれのめした不良」の二人連れに見えるわけです。実際は違う、と知っているのが自分たちだけだと思うと、2ときゅうりは愉快な気持ちになって、くすくす笑わずにはいられませんでした。

ひとしきりくすくす笑ったあと、

「帽子はどう見えるだろう」

と、2が尋ねました。それはきゅうりにとっても興味深い問題でしたから、二人は公園の公衆電話から、帽子に電話をかけて呼び出すことにしました。

帽子はまだ寝ていましたが、三人でコーヒーを飲みましょう、と誘うと、いこう、と、こたえました。

十分後、降り注ぐ陽射しに、まぶしそうに顔をしかめながら、おそらく顔も洗わずに部屋を出てきたと思われる帽子が二人に向かって歩いて来ると、2ときゅうりは我慢出来ずに笑いだしました。2の目には、帽子がまるで「逃亡中の犯罪者」みたいにあやしく見えたからですし、きゅうりの目には、「くたびれた、ただのおじさん」に見えたからです。

でも、二人とも、それが帽子と「別人」であることを知っていましたから、帽子には何も言いませんでした。

「なんだ？　どうしたんだ？」

帽子はわけがわからないという顔をしています。

「なんでもありません」

2ときゅうりが口々に言いました。

「僕たちがみんな、知り合いでよかった。いまきゅうりくんと、そう話してたところなんですよ」

それから三人は連れだって、すばらしくよく晴れた日曜日の公園を、カフェをめざしてぶらぶら歩いていきました。

胸　襟

「隠し事はやめましょうね」

きゅうりが突然そう言いだしたとき、三人は、いつものようにきゅうりの部屋に集まって、更けていく夏の宵を楽しんでいました。

「隠し事はどろぼうのはじまりですから」

きゅうりは、たいした考えもなくそう言いました。考えばかりではなく、悪気もありませんでした。ただ、言ってみたのです。

三人はいまや親友同士でしたが、2と帽子には、それぞれ他の二人には言っていないことがありました。別に秘密というほど大袈裟《おおげさ》なものではありませんでしたが、なんとなく言えないことでした。そして、2も帽子も、これからも言うつもりはありませんでした。

きゅうりには、いまのところ、他の二人に言えないことはありませんでした。自分にはうしろ暗いところは何もない、と考えていましたし、その考えが気に入ってもいました。それはそれでいいのです。

さて、いま、きゅうりはベンチプレスをしながら、二人にちょっとした告白をしていました。この街に出て来て、2と帽子に出会い、どんなによかったか、という告白でした。

「僕はきみたちに……胸襟《きょうきん》を開いている。問題は……そのことさ。この物騒な……世の中で、ほんとうに胸襟を開くことの出来る相手……に、出会う確率がどのくらい……あると思う？」

ところどころで言葉がとぎれるのは、言いよどんでいるわけではなく、そこで力を入れてバーベルを上げ下げしているのでした。

「まったくその通りだ」

帽子が言いました。

「同感です」

にこやかに、2も言いました。ベンチプレスを終えたきゅうりは、首にかけたタ

オルで汗をふき、今度は体操用の小さな階段をひきずってきました。

「僕の父が言うには」

階段を上り下りしながら、きゅうりは言いました。

「強い心を持つ者は、信じることを恐れない」

だいぶ息がはずんでいます。

「立派なお父さんだな」

帽子が言い、2も、熱心にうなずきました。きゅうりは悪びれず、

「そうなんです」

と、言いました。

2は、自分の秘密について考えていました。それは、資格好きだということでした。2は、勉強が好きでした。勉強をして、資格をとることはもっと好きでした。検定と名のつくものは、みんな受けました。何々士、という言葉も好きで、不動産鑑定士や社会福祉士、臭気判定士や愛玩《あいがん》動物飼養管理士、生態系を守るビオトープ管理士などの資格を持っていました。どれも、れっきとした資格です。

一方で、2は、自分の勉強の仕方が、なにかおかしいと感じてもいました。試験に向けてコツコツ努力するのですが、試験に受かると、たいてい忘れてしまいます。資格ばかりが増えていき、実際にその資格を生かしたことは一度もありませんでした。

でも、好きなものは好きなので仕方がないのでした。

「いずれにしても」

2は、きゅうりと帽子に言いました。

「僕もあなた方に胸襟を開いていると言わざるを得ないでしょうね、実際のところ」

きゅうりも帽子もうなずきました。

帽子の秘密は、2のそれとはだいぶ趣がちがっていました。それは、飼っているカメたちの名前です。全部女の名前でした。帽子には、カメの雌雄は区別出来ませんでしたから、全部女に決めたのでした。ジャスミンとか、リリーとか、ヨーコとかです。帽子は、それに「ちゃん」をつけて呼んでいました。そして、そのことを、

2にもきゅうりにも知られたくありませんでした。

「俺のドアは、いつも開《あ》いている」

帽子は、胸襟という言葉を使いたくありませんでしたので、そう表現しました。

「来る者は拒まず、去る者は追わない。あとは野となれ山となれ、な」

2はうなずきましたが、きゅうりは、

「それは物騒だ」

と、言いました。

「戸閉まりはした方がいいですよ」

帽子は、きゅうりの善良さを好きだと思いました。

「隠し事のない関係はいいなあ」

きゅうりが言い、2と帽子はすこし胸が痛みましたが、それを悟られまいとにこやかに同意しました。

それから、三人は友情に乾杯をしました。

きゅうりの生き甲斐

アパートの玄関を入ったところに、黒と白の市松模様の床の、室内とも室外ともいえない空間があることは、すでにお話ししました。そこにずらりと並んだ郵便受けの脇に、きゅうりは自転車を置いていました。青いベルのついた、美しい銀色の自転車です。

きゅうりは、毎朝パンと玉子の朝食をすませると、それに乗って仕事に出かけます。スピードをだしますので、身体《からだ》中で風を感じます。首にかけた金の鎖が、風でうしろになびくのが、きゅうりは気に入っていました。朝の街は出勤途中の人々でいっぱいですが、きゅうりは気にしません。曲乗りみたいな器用さで、人波を縫ってとばします。

きゅうりはガソリンスタンドで働いていました。お客さんの車を洗ったり点検したり、四角い機械からポンプでガソリンを入れたり。簡単な修理も出来ました。きゆうりはてきぱきしている上、さわやかな笑顔をふりまくのが癖でしたから、この仕事はうってつけでした。

そりゃあたまには失敗もします。ついこのあいだも、リンカーンに乗った御婦人を怒らせたばかりです。スタンドには、スナックや飲みものの自動販売機があるのですが、御婦人がコーヒーを買うのを見て、きゅうりは、まず、

「コーヒーは身体に悪いですよ」

と、注意しました。御婦人は何も言いませんでしたが、ほっといてちょうだい、と、顔に書いてありました。御婦人は、チョコレート菓子も買いました。するときゅうりは額に手をあてて背中をのけぞらせ、三軒先まで聞こえるような大きな声で、

「なんてこった。よりによってチョコレート菓子とは！」

と、叫びました。

「虫歯に糖尿、高血圧！　だいいち、それ以上太ったら運転席に収まりきらなくなりますよ」

御婦人の怒ったこと、怒ったこと。

「なんて失礼な店員なの」

そう言って、ハンドバッグできゅうりをたたき、給油もせずに帰ってしまいました。

一部始終を見ていた店長に、きゅうりはあとからこってりしぼられましたとも。

そういうことはときどき――しばしば、ほぼ毎日――あったのですが、でも、全体として、きゅうりは上手《うま》くやっていました。この仕事が気に入っているのです。

なんといっても、お陽さまの下で働けるということ。おかげで、きゅうりは親戚《しんせき》もおどろくくらいの濃緑色に日焼けしています。

ところで、まっとうなきゅうりならみんなそうであるように、このきゅうりにも、生《い》き甲斐《がい》がありました。

それは、故郷の両親に送金をすることでした。陽射しの下で汗をかいて働き、その結果得たお金を両親に送る。きゅうりにとって、それはまったき喜びでした。無論、きゅうりの両親にとっても。

きゅうりの両親は裕福でした。それで、きゅうりに、毎月十分な仕送りをしていました。それは十分な上にも十分な金額でしたから、きゅうりは、自分のお給料を全額両親に送ることが出来ました。全額です。その息子の心根に、きゅうりの両親は打たれていました。息子から送られたお金で、彼らはちょっとしたものを買いました。新しい眼鏡《めがね》とか、レースの花びん敷きとかです。それらは、彼らの持ち物の中でも、特別大事な、誇らしい持ち物となっています。

「俺たちはいい息子を持ったな」

三日に一度くらい、お父さんはお母さんにそう言います。お母さんは微笑《ほほえ》んで、

「ほんとうに」

と、こたえます。

ともかく、きゅうりは素敵な生き甲斐を持っているのでした。

2の誕生日

きょうは、2の誕生日です。

2は、二歳でした。生まれたときから二歳でしたし、これからもずっと二歳です。2というのはそういうものです。勿論《もちろん》、誕生日は毎年めぐってきましたが、2は、そのたびにあらためて二歳になりました。

2のお父さんは数字の14で、お母さんは数字の7でした。二人は割り算をしたので、2が生まれたわけです。足し算をしていれば21が生まれたでしょうし、掛け算をしていれば98が生まれたでしょう。でも、2の両親は余程割り算が好きだったとみえて、2のお姉さんもお兄さんも、二人いる妹たちも、2でした。それが、2の家族でした。

数字は独立独歩が基本ですから、みんなもうながいこと、別々に暮らしています。家族の声を聞くことさえ滅多にありませんでしたが、勿論、誕生日は別です。それが、互いの無事を確かめあう唯一の機会でした。

最初の電話は、朝の六時にかかってきました。

「二番目のおにいちゃんの2?」

かわいい声が言いました。

「うん。お前は二番目の妹の2だね」

「そうよ。お誕生日おめでとう!」

二番目の妹の2は、遠い街の病院に勤めています。色の白い、右目の下に小さな泣きぼくろのある、真面目《まじめ》な性質の2でした。

「電話をありがとう」

「どういたしまして。声が聞けてよかったわ」

二人は電話を切りました。

すぐにまた、電話が鳴りました。

「2かしら?」

お母さんです。お母さんは、何番目の何、などと言いません。

「元気？　お誕生日おめでとう」

2は嬉《うれ》しくなりました。お母さんは、遠い街で学校の先生をしています。

「ありがとう。また二歳になったよ。お母さんは元気？　どうしてる？」

「あいかわらずよ」

お母さんは言いました。

「生徒たちにはいつだって手を焼かされるわ。いじめっこの6だって泣き虫の4だってほんとうはいい子たちなんだけど」

2は、ふふふ、と、笑いました。ほんとうにあいかわらずだと思ったからです。

お母さんはまだ話し続けています。

「15と20はおなじ5の倍数なのに仲が悪いし、おちびちゃんの99はお弁当をいつも残しちゃうし……」

「電話をありがとう」

「どういたしまして。身体《からだ》に気をつけるのよ」

お母さんもね、と言って、2は電話を切りました。

朝食をすませて新聞を読み、役場へ出かける仕度をしていると、三本目の電話がかかってきました。

「弟かい?」

長男の2でした。

「お兄ちゃん!」

2は、なつかしさに声をはずませました。長男の2は、会計士でした。もう結婚していて、子供もいます。

「誕生日おめでとう。どうだい? 調子は。義妹はまだ現れないのかな」

2は、二度の失恋を思い出し、すこし胸が痛みました。

「うん、残念ながらね。甥《おい》や姪《めい》は元気?」

「ああ、元気にしているよ」

2は、よかった、とこたえました。

ベランダの鉢植えに水をやり、食器を洗い、しばらく待ちましたがもう電話は鳴らなかったので、2は仕事に出かけました。

「誕生日は忙しいな」

初秋の風に吹かれ、落ちはじめたばかりの、まだ緑の残る葉っぱをけりながら、バス停まで歩きます。

お父さんは、職場に電話をかけてきました。午後一時ごろだったでしょうか。

「2をお願いします」

遠慮がちに言いました。あまり気の強い人ではないのです。

「お父さん？　僕です、2ですよ」

2は、やや声をひそめました。職場ですからね。

「ああ、2か、よかった。不在だったらどうしようかと思ってたんだ」

お父さんは、遠い街で、小さな工場に勤めています。紙をつくる工場です。

「ひさしぶりだな。仕事は忙しいかい？」

「そうでもないですよ、お父さん」

2はふいに、昔、お父さんのあぐらに座ったことを思い出しました。独立独歩の数字にとって、それは、ほんとうに遠い記憶です。

「確か、きょうが誕生日だったな」

お父さんは言いました。

「おめでとう」

それからは、どちらも話すことがなくて、ぎくしゃくと電話を切りました。

さて、電話はあと一本です。はじめ、2はわくわくして待ちました。やがてそわそわ待ちはじめ、しまいにはイライラと待ちました。電話はいっかなかかって来ません。

(どうしたんだろう)

2は心配になりました。一番目の妹に、何かあったんだろうか。

退庁時間になると、2はもういてもたってもいられませんでした。生来心配性なのです。

一番目の妹は、画家でした。子供の頃は、2が随分遊んでやったものです。2という数字に似合わず、無鉄砲な妹でした。

(こちらから電話をしてみようか)

2は思いました。誕生日だというのに自分から電話をかけるのは気のひけることでしたが、大切な妹です。

いつのまにか、役場には誰もいなくなっていました。ここで働いている人々は、2も含め、みんな時間に正確なのです。無人の役場はがらんとして、窓の外も暗く、2の不安をかきたてました。

2は電話をかけました。

「もしもし?」

不機嫌な声が応答しました。

「2かい? 一番目の妹の、きかんぼうだった2?」

「……お兄ちゃんなの? どっちの?」

「二番目のだよ。声でわからないのか?」

「似てるんだもん」

2は、すこし気を悪くしましたが、

「元気なのかい?」

と、訊《き》きました。

「元気よ。でも眠いの。ゆうべは徹夜だったから。何か用?」

「いや……」

2はロごもりました。

「ちゃんと寝るんだぞ」

「……わかってるわ」

妹は言い、電話を切ってしまいました。

(やれやれ)

2は立ち上がり、机の上を片づけると、袖《そで》カヴァーをはずし、一人で帰り仕度をしました。カーテンを閉め、電気を消すと、カチリと音がして真っ暗になりました。

数字にも、いろいろいるのです。とりあえず妹が無事で、誕生日に家族みんなの声が聞けたので、2はこれでよしとすることにしました。

外に出て、夜の空気を吸い込みます。空気には、秋のひんやりした匂いと、排気ガスの匂いがまざっていました。街灯が、道に黄色いあかりを落としています。

アパートに帰ると、きゅうりの部屋で、きゅうりと帽子が待っていました。

「おう、先にやってるぞ」

いつものように、帽子が言いました。

「遅かったね、誕生日だっていうのに」

きゅうりは室内自転車に乗っています。

「ケーキ、買っておいたよ」

2は、心から幸福な気持ちになりました。

それは、いつもどおりの夜でした。ウイスキーの匂い、部屋のあかり、自転車の摩擦音。

(友達っていいなあ)

2は思いました。そりゃあ家族は大切です。でも、友達はいつもどおりでよし、重要なのは、そのことでした。きゅうりも、帽子も、いま現にここにいるのです。

「ああ、おなかがすいた。誕生日もいいけれど、いろいろと気ぜわしくてね」

2は、嬉しそうに言いました。

音楽

いつもは、音楽がほしくなるとラジオをつける三人でしたが、その夜はあいにくラジオでろくなものをやっていませんでした。

そこで、レコードを聴くことにしました。

「どれでもかけて下さい」

きゅうりは胸をはって言いました。

「どれどれ」

まず帽子が物色しましたが、どれもいまかけてほしくない、という結論に達するのに、ほとんど時間はかかりませんでした。きゅうりは四枚しかレコードを持っていませんでしたから。

「一枚くらい、この場にふさわしいものもあるでしょう?」

きゅうりが期待を込めて訊《き》きましたが、帽子は首を横にふりました。

「確かめてみよう」

2が申し出て、きゅうりのコレクションを調べました。そして、気を遣って、

「でも」

と、言いました。

「でも、個性的だね」

と。きゅうりのレコードはみんな体操用でしたから、帽子と2の言うとおり、この場には合いませんでした。どういう音楽かというと、ハードなトレーニングをするときのためのヘヴィ・メタルが二枚、運動して疲れた筋肉を弛緩《しかん》させ、リラックスするのに役立つ――と、きゅうりの信じている――前衛的な環境音楽が二枚です。

「個性的というより、個人的というべきだな」

帽子が訂正しました。

「じゃあ、どういうのがいいんです?」

きゅうりが尋ね、帽子と2は、それぞれ自分の部屋に戻って、この場にふさわしい音楽を選んでくることにしました。

帽子が持ってきたのは、甘く哀しい女性ヴォーカルのジャズでした。

「ウイスキーには、ジャズだろう」

でも、きゅうりはビールを、2はグレープフルーツジュースを飲んでいましたし、その女性ヴォーカルはあまりにも甘く哀しく、ときどき囁《ささや》くように歌いましたから、きゅうりと2は、どうしていいかわからなくなってしまいました。

「これは気恥かしい」

きゅうりが断じました。2も、

「遺憾ながら」

と、同意しました。そして、奇妙なことに、帽子もその場にいたたまれないほど、気恥かしさを感じていました。いつも一人でしみじみ聴いている気に入りの曲を、2ときゅうりのいる場所で聴くなんて、まるで裸になっているみたいだ、と、帽子は思いました。

2が持ってきたのは、クラシック音楽でした。

「月を見ながらこれを聴くと、とても豊かな気持ちになるんです」

2は、そう推薦の弁を述べました。それはマスカーニでした。弦楽器がしずかにゆるやかにすべりだし、うしろに控えめなピアノが加わって、流れるように美しい旋律をつくりだす曲です。2には、思い出の曲でもありました。小さい頃から身体《からだ》が弱く、若くして死んでしまったお姉さんの2が、この曲を好きだったのです。やさしいお姉さんでした。曲のはじまりの弦楽器のところを、やさしい声で、よくハミングしていたものです。

「なかなかいいな」

目をつぶって聴いていた帽子が、言いました。

「うん、悪くない」

きゅうりも言いました。でも、2は、まだレコードが終わらないうちに、突然スイッチを切ってしまいました。

「なんだ？　どうしたんだ？」

びっくりした帽子ときゅうりが、同時に声をだしました。

「とても聴けない」

2は小さな声で言いました。死んだお姉さんを思い出し、哀しくなってしまったのです。

それにしても不思議なことです。普段自分の部屋でこれを聴くときは、そばにお姉さんがいてくれるような気がして幸せな気持ちになりこそすれ、哀しくなったりしないのです。

「一体どうしたんだろう」

2は、ひとり言のようにつぶやきました。帽子にもきゅうりにも訳がわかりませんでしたが、何か個人的なことだろう、という程度の察しはつきました。

「音楽は、個人的なものだな」

帽子が言いました。きゅうりも2も深くうなずいて、それぞれの飲みものを啜《すす》りました。

「枝豆をゆでましょうか」

きゅうりが言い、ぱきっと立ち上がりました。

「いいね」

帽子がこたえます。そして、2は、ラジオをつけました。ラジオでは、あいかわらずろくなものをやっていませんでしたが、それでも何かはやっていました。三人とも口にはだしませんでしたが、ラジオを聴いて、ほっとしました。

どろぼう

ある秋の夜のことです。

アパートにどろぼうが入りました。被害にあったのは三階の、帽子の反対の角の部屋の住人でした。その人は夜警の仕事をしていましたから、夜はいつも留守でした。よそのビルを警備しているあいだに自宅にどろぼうが入ったなんて、皮肉なことです。どろぼうは、お金と柱時計を盗んでいきました。その柱時計はとても古く高価なもので、深いこげ茶色のマホガニー材で出来ていました。鳩時計《はとどけい》の鳩の要領で、定時には、輪になって踊る子供たちが飛び出してくる仕掛けになっていました。

警察の人が来ていろいろ事情聴取をしていきましたし、アパートの玄関ホールには注意を呼びかける貼り紙も貼られましたから、この一件は住人たちみんなを不安にしました。

「柱時計を盗っていくなんて、かわったどろぼうだなあ」

　体内の水分のめぐりをよくするために、逆立ちをしながらきゅうりが言いました。きゅうりは、アパートの中で唯一、あまり不安を感じていない住人でした。ドアに特別上等の鍵《かぎ》をつけていましたし、何か盗られたら、また買えばいいさと考えてもいました。

「骨董《こっとう》に目の利く奴《やつ》なんだろう」

　帽子が言いました。

「僕の部屋には骨董はないけど」

　2は、住人の中でもとりわけ不安を強く感じている一人でしたから、そう口にする声もこわばっています。

「でも、盗られたくないものは一杯ある」

　気に入りの水色の毛布、家族の連絡先を記したアドレス帖《ちょう》、いつもグレープフルーツジュースを飲むコップ……。2は、列挙しました。コップが、きれいな、青い切子硝子《きりこガラス》で出来ていることも、勿論《もちろん》一言つけ加えました。

「なんてことだ」

それを聞いたきゅうりは、逆立ちをやめました。

「気の毒に」

同情を込めて、2に言いました。

「別に気の毒じゃないだろう。こいつがどろぼうに入られたわけじゃないんだから」

帽子の言葉に、きゅうりはおどろいたように眉《まゆ》を上げました。

「気の毒だとも。盗られたくないものがそんなにあったら、心配で仕方がないじゃないか」

そうなんだ、と、2も、横でうなずきます。僕だったらとても耐えられない、と、きっぱり言って、きゅうりは自説をしめくくりました。

「うむ」

これには帽子も、一理ある、と、認めざるを得ませんでした。三人は、いつものようにきゅうりの部屋に集まって、それぞれ好みの飲みものを楽しんでいるところでした。

「しかし」

帽子はつまみのジャンボナッツを一つ口に入れ、半ばひとり言のように続けました。

「しかし、盗られたくないものが一つもないというのも、気の毒といえば気の毒だな」

帽子は、カメたちのことを考えているのでした。大切な蔵書や骨董の刀、愛着のあるトランクや十二年もののウイスキーなどは、まああきらめもつきます。でもジャスミンやアリソン、ヨーコやミドリやバーバラは、甘え方も体型も、性質もしぐさも一匹ずつ特別な、帽子にすっかりなついているカメたちなのです。とても、あきらめられるものではありません。

「確かに」

2も、複雑な表情で同意しました。

「そうかなあ」

きゅうりは不思議そうに首をひねります。それどころか、持ち前のさわやかな自

信で、

「僕はちっともかまいませんよ。盗られても平気でいられれば、それにこしたことはないんだから」

と言ってのけました。帽子と2は、正直なところ、きゅうりをすこし恰好《かっこう》いいと思いました。そして、それでもやっぱり、今夜は早く帰って、水色の毛布やカメたちと、くっついて眠りたいと考えていました。

詩人ごっこ

どんよりと曇ったある土曜日に、きゅうりは、突然ふさぎの虫にとりつかれました。何をしても興が乗らず、億劫《おっくう》で、いきいきした気持ちになれないことが、人生にはあるものです。

その日きゅうりは仕事に出ていましたが、働いていても、さっぱりおもしろくありませんでした。

「どうかしたのか?」

心配した店長に、そう訊《き》かれてしまうありさまでした。

「たぶん、なんでもありません。ただ、なんていうか、世の中が、急にカラの玉子の殻になっちゃったような気分なんです」

きゅうりはこたえました。玉子は、黄身と白身があるからこそおいしく、美しく、心愉しいのです。

「カラの玉子の殻? なんだ、そりゃ」

店長は首をすくめ、

「詩人なんだな」

と、言いました。

詩人。

そうだったのか、と、きゅうりは思いました。これでつじつまが合います。元気な詩人なんて、見たことがありませんからね。

(大変だ。僕は詩人になってしまったんだ)

きゅうりはそう結論づけざるを得ませんでした。詩人だから、こんなにふさぎこんでいるんだ、と。

詩人は、きゅうりにとって、別に良いものでも、なりたいものでも、ありませんでした。どういうわけか、詩人になってしまったのです。

「おどろいたなあ」

きゅうりはひとりごちました。

「こういうこともあるんだな」

そして、仕事の合間に、一日かけて、詩を完成させました。きゅうりは国語が苦手でしたから、これは大変なことでした。

「まったく、災難だったよ」

あとになって、きゅうりはこの日のことを、そう振り返りました。詩は、きゅうりの性に合いませんでした。ガソリンを入れ、灰皿の灰を捨て、フロントガラスを磨くことの方が、ずっと好きでした。エンジンオイルを換え、バッテリーの調子を見て、冷却水の補充をすることの方が、ずっと気持ちのいい作業でした。

でも、ともかく、きゅうりは詩を一つ完成させました。こういう詩です。

カラのたまごのから

なんてこったい
カラのたまごのから

それはまるで
ふってわいたさいなん
きみはどこだ
しろみはどこだ
たっぷりのバターと
しおこしょう
ぼくのりっぱなきんにくに
たんぱくしつは
かかせない
なおるかな
ぼくのしじんが
なおるかな

仕事を終え、アパートに帰ったきゅうりは、さっそく、2と帽子に詩を披露《ひろう》しました。

「俺の方が上手《うま》い」

最後まで聞いて、帽子がそっけなく言いました。

「しかも、俺は即興詩人だ」

そして、その場で、きゅうりという題の詩をつくってみせました。

きゅうり

きゅうり
あわれな
きゅうり
その身は青けれど
詩才なく
心根はすこやかなれど

むくわれぬ
きゅうり
玉子食い
せめてばくちの才でも
あらばこそ
ああ、きゅうり
うつくしく
かなしき
わかもの

「まるで詩だ！」

きゅうりは舌を巻きました。

「だてに本を読んでいるわけじゃないんですね。いやあ、気に入ったな。うつくしく、かなしき、わかもの、というところが特によかった」

帽子は、自分の詩に自分で照れてしまって、てっぺんにしわを寄せました。

「もっとながい詩も出来る」

やって下さい、と、きゅうりは熱心に言いました。

「また僕の詩がいいな」

きゅうりと帽子のやりとりを、2は呆《あき》れて眺めていました。

「さて。僕はお先に失礼しよう、っと」

そう言って、さっさと部屋に引き上げて、水色の毛布にくるまると、気持ちよく眠りに落ちました。

帽子ときゅうりは、その晩おそくまで、詩人ごっこをしたようです。

帽子の思い出

帽子は、ほかの二人よりもすこし長く生きてきましたから、ほかの二人よりもすこしたくさんの思い出を持っていました。

帽子は、それを人に語ることはしませんでした。昔かたぎな質《たち》――本人は、ハードボイルドという言葉の方を好みましたが――でしたから、思い出は人に語るものじゃない、と、思っていたのです。

でも、思い出は、帽子にとって大切なものでした。そして、ときには、思い出にひたりたい夜もあるものです。

そういう夜、帽子は、みんなが寝静まるのを待って、一人でそっと、中庭に出るのでした。中庭には小さな噴水がありました。水はちょろちょろとしか出ていませんでしたが、噴水の縁でちっぽけな緑のカエルが休んでいたりしました。月も星も見えました。そこはまったく、昔かたぎの帽子が思い出にひたるのに、うってつけの場所でした。

中庭には、いつも黒猫がいました。そこで、帽子はこの黒猫に、思い出を語って聞かせるのでした。

それはたとえばこんな話でした。

子供の頃、帽子はおばあちゃん子でした。帽子のおばあさんはやはり帽子でしたが、すみれの花の造花のついた、大変に粋な人でした。海軍の帽子だったおじいさんとは、大恋愛だったと聞いています。

帽子というのはたいていそういうものですが、おじいさんは行方不明でした。帽子の両親も行方不明でした。でも、帽子もおばあさんも、彼らがどこかで立派にやっていることを知っていました。

「きっと、りゅうとした紳士の頭の上にいるよ」

とか、

「どこかのお邸《やしき》の、クローゼットの棚に置かれたまるい大きな箱の中で、ぬくぬくと幸福にまどろんでいるよ」

とか、よく二人で言い合ったものです。

帽子に、ウイスキーの味を教えてくれたのは、おばあさんでした。

「これはあたしたちの薬だよ」

彼女は、いつもそう言っていました。

また、このおばあさんは歌の好きな人でした。声はしわがれていましたが、夕方になると帽子をおぶって、外を歩きながらいくつもの歌をうたってくれました。もの哀しい歌でした。帽子は背中におぶわれながら、そのときに見た景色を憶えていました。おばあさんのしわがれ声も、おばあさんの匂いも。

随分前のことです。ほんの三つか四つの頃の記憶です。

このおばあさんが亡くなると、帽子には身寄りがありませんでした。そこで、帽子は旅に出ることにしたのです。帽子は、おばあさんにくっついていたすみれの造花を、形見にもらいました。それは、いまでも帽子の部屋に置いてあります。

「気丈なばあさんだった」

黒猫は、帽子の言葉を聞いているのかいないのか、頭を上げ、首の鈴をちりんと鳴らしました。

帽子は、またこんな思い出も持っています。

若い頃の話です。帽子は、北の街にいました。その街には港があって、大きな船が停泊していました。港のまわりは賑《にぎ》やかで、色とりどりのちょうちんがぶらさがり、ビールを飲ませるテラスつきのカフェや、フィッシュスープと呼ばれる濃く熱いスープを出すレストランなどが、軒を連ねていました。銀細工を並べた屋台だの、恋人たちのための花売り、観光客相手の即席写真屋だの、あやしげな商売人も夜な夜なやって来ます。帽子も、その一人でした。帽子はそこで、干しあんずを売っていたのです。

それは上等の品物でした。風味の豊かな、果肉のしっかりした干しあんずだったのですが、売れゆきはよくありませんでした。帽子はそれを、遠い町の農家から、二束三文で買いつけていました。

ある夜のことです。一人の男の人が、帽子に、

「それ、甘いのかい?」

と、訊《き》きました。

「甘いですよ」

帽子はこたえました。

「それに、すばらしくすっぱい。晴朗な山の空気と、肥沃《ひよく》な大地の味がします」

男の人は、台に並んだあんずを、じっと見つめました。とても興味を持ったようでした。

「いまのいままで考えたこともなかったが」

男の人は言いました。

「僕は、生まれてこのかたいっぺんも、干しあんずというものを食べたことがないな」

帽子は、しめた、と思いました。

「なら、おひとついかがです?」

男の人は、微笑《ほほえ》んで、

「お金を持っていないんだ」

と、言いました。帽子だって商売です。それ以上その男の人の相手をするのはやめました。男の人は、それでもしばらくあんずを見つめていましたが、やがて、海の方へ歩いていきました。

翌日の新聞に、身投げの記事が載っていました。自宅に遺書が残されていたそうです。写真は、その男の人でした。

「無論、俺は関係ない」

帽子は、黒猫に言いました。

「もしもう一度おなじことがあっても、俺はおなじようにするだろうな」

黒猫は金色の目を開けて、背中を弓なりにしてのびをしました。首の鈴が、またちりんと音をたてます。

帽子は、黙ってじっと座っています。弱い風が吹きました。見上げると、自分の部屋の窓が見えます。その下がきゅうりの窓で、そのまた下が、2の窓です。二人とも、とっくに眠っていることでしょう。

帽子の思い出は、黒猫のほか、誰も知りません。思い出というのは、そういうものです。

眠れない夜

2は、眠れませんでした。

毎晩寝る前に飲むことにしているあたたかいお茶も飲みましたし、パジャマを着て歯をみがき、お気に入りの水色の毛布にくるまっているのに、眠れませんでした。きゅうりのたてる、体操の物音のせいではありません。それにはもうすっかり慣れてしまって、たまに静かだと、まだ帰っていないんだろうか、とか、病気じゃないだろうな、とか、気になって眠れないほどなのです。

今夜は、体操の音も、子守歌みたいにやすらかな調子でひびいていました。それなのに、2はちっとも眠くなりません。

「ああ、困った」

2は、起きてラジオをつけました。女性歌手が、FLY ME TO THE MOON と歌っています。落ち着きません。2はラジオを消しました。落ち着きません。

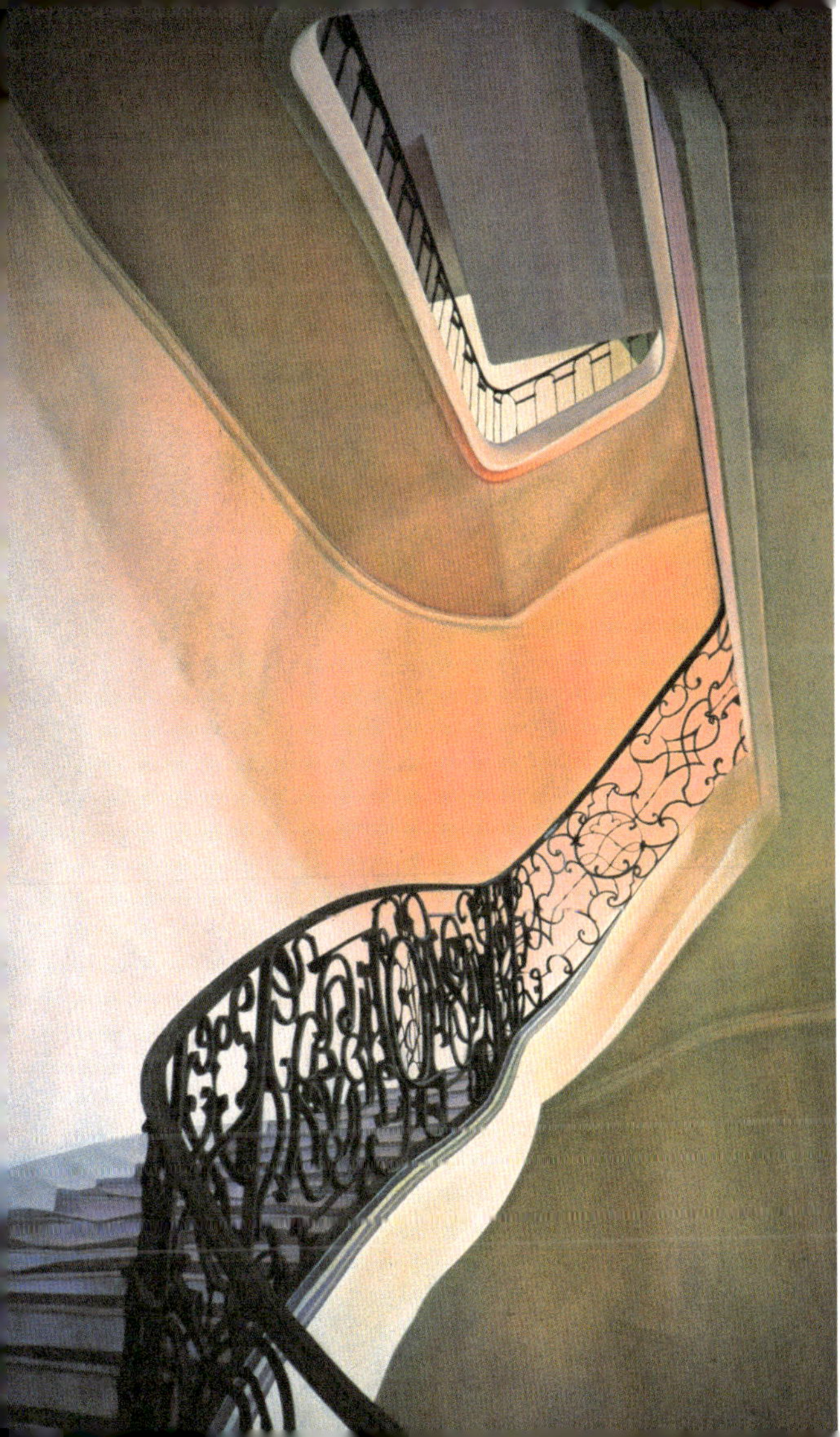

部屋をうろうろ歩きまわりながら、2は、いつもどうやって眠っていたか、思い出そうとしました。

(一)横になる

(二)枕元のあかりを消す

(三)目をつぶる

「困った。その先が思い出せない」

ここまでは、さっきもやったのです。その先の手順が思い出せなくては眠れません。2は、ためいきをつきました。

「きゅうりに相談してみよう」

パジャマの上にカーディガンを羽織って、2は、きゅうりを訪ねました。

きゅうりは、もう眠っていました。目をこすりながらドアを開《あ》け、

「どうしたんだい?」

と、訊《き》きました。

「おどろいたなあ。きみは、寝るときも金の鎖をつけているんだね」

2は、つい、そう言ってしまいました。

「うん。いつもつけてるんだ」

きゅうりは素直にこたえました。

「それで、何の用?」

「眠れないんだ」

2は、哀しげに言いました。

「眠り方を、どうしても思い出せない」

きゅうりはまだ寝ぼけていましたが、数秒間考えて、

「それは大変だ」

と、言いました。

「気の毒に。辛《つら》いだろうね」

「そうなんだ」

きゅうりが右手を差し出しましたので、2は握手にこたえました。それをしおに、
きゅうりがドアを閉めようとしましたので、2はあわてて、

「どうしたらいいと思う?」

と、訊きました。

「そうだなあ、もしきみがきょうもあしたもあさっても、一週間も眠れずにいたら、それは不眠症だから医者にいくべきだと思うな。医者はきっと薬をだしてくれるよ」

これを聞いて、2はがっかりしました。

「一週間? 絶望的だな。そんなにながいこと起きていられるはずがない。きっと眠っちゃうよ」

「あきらめちゃいけない。まず、やってみなくちゃ」

きゅうりは、そう励ましました。

「自信がないな。そんなに起きていられるだろうか」

2は、なんだってこんな厄介なことになってしまったんだろう、と困惑しながら、帽子に相談してみよう、と、思いました。

帽子も、もう寝ていました。カメたちと一緒に寝ていたらしく、肩と腰に、カメ

が一匹ずつくっついています。

「なんだ、2か」

肩を落とした2を見ると、帽子はそう言いました。

「誰だと思ったんです?」

「別に誰ってこともないが」

「眠れないんです」

2は、単刀直入にきりだしました。

「じゃあ、起きていればいい」

帽子の返事に、2はまたうちのめされました。

「あなたまでそんなことを言うなんて。実際、どうかしてますよ。もう一時だっていうのに、あなたもきゅうりも、どうして僕を起こしておこうとするんですか」

帽子には、2の言っていることがさっぱりわかりませんでした。そこで、

「まあ中に入って、酒でも飲もう」

と、誘ってみました。

「冗談じゃありません。僕はお酒が飲みたいわけじゃなく、眠りたいんですよ」

帽子は2をまじまじと見て、

「俺もだ」

と、言いました。

2は、すっかりくたびれてしまいました。こんなことなら、部屋で寝ていた方がよっぽどましです。そこで、2は部屋に戻ると、足音もあらくベッドに飛び込み、横になり、枕元のあかりを消して、目をつぶり、すとんと眠りに落ちました。

きゅうりの里帰り

夏休み、きゅうりは里帰りをしました。2も帽子も一緒にいったのですが、それはこういうわけでした。

2は、夏休みにどこかへ旅行しようと考えていました。旅行会社へ出かけ、様々な土地のパンフレットをもらってきたりしていました。「陽光ふり注ぐ浜辺へ」とか、「渓流づりと、星空のバーベキュー」とか、「歴史薫る古都の散歩道」とか、魅惑的なタイトルのついたパンフレットです。

帽子は、暇でした。そもそも夏休みという概念がないので、なんの予定もありませんでした。

「だったら一緒に来ればいい！」

きゅうりが言いました。

「いいところなんだ、ものすごく。部屋はいっぱい余ってるから、好きなだけいて下さい」

故郷について語るとき、きゅうりは興奮ぎみになります。

「もしそう出来たら楽しいだろうな。家族がみんな喜ぶし、だいいち、僕らいままで一度も一緒に旅行をしたことがない！　これは残念なことですよ」

「確かに」

帽子が言いました。

そういうわけで、もともと里帰りをするつもりだったきゅうりと、どこかに旅をしたかった2と、暇だった帽子は、三人で、はじめての旅に出ることになりました。夏休みなのです。

2の荷物は、ごく普通でした。歯ブラシと歯磨き、着替えの下着、そのようなものです。2はそれを、紺色の旅行鞄《りょこうかばん》につめました。

きゅうりの荷物は、すこし変わっていました。ハンカチが十枚と、美しい水色の、絹のスカーフが一枚、縁にひらひらした飾りのついた、愛らしいピンク色のスカーフが一枚と、ひまわりみたいに鮮やかな黄色地に、白い水玉の散ったスカーフが一枚。きゅうりはそれを、小ぶりのスポーツバッグにつめました。

帽子の荷物は、大変に変わっていました。ウイスキーが一壜《ひとびん》と、カメが十五匹。帽子はそれを、大きなトランクにつめ、カメたちのために、水もすこし入れました。移動式水槽というわけです。トランクは、こげ茶色でした。

出発の日は、すばらしくいいお天気でした。粉と玉子、ミルクと砂糖で生地をつくって、地面に流したら上等のホットケーキが焼けるような暑さです。

三人はそれぞれ朝食をすませて、玄関ホールで落ち合いました。黒と白の市松模様の床の、郵便受けのある場所です。

「こともしばらくお別れだな」

帽子が言いました。

「淋《さび》しくなるようなことを言わないで下さい。ただでさえ不安なんだから」

2がこたえると、帽子はさもばかにしたように、ふん、と、言いました。

「それが旅だろうが」

きゅうりは足どりも軽く、おもてに出ると、ぴゅう、と口笛を吹き、頭にのせていたサングラスをかけました。

「こりゃあ里帰り日和《びより》だ」

一行は、飛行機に二時間乗り、鉄道で、さらに三時間南へ下りました。

きゅうりは南育ちでした。御存知のように、きゅうりというのは南でも北でも育ちます。でも、南のきゅうりに勝るきゅうりはない、と、このきゅうりは信じていました。事実、南のきゅうりはみんなみずみずしく青く、健康的にとげとげで、よく曲がっています。

目的地が近づくにつれ、車窓から、きゅうり畑の匂いの風が流れてきます。きゅうりは目を細め、なつかしそうに外を見ています。帽子と2はポーカーをしていましたが、ときどき顔を上げて、

「広々した土地だな」

とか、

「なんにもないとこですねえ」

とか、言うのでした。

ちらほらみえる人影――農夫とか、駅員とか――は、このあたりではみんなきゅうりです。

「次ですよ」

きゅうりが言い、2と帽子はトランプをしまいました。

列車が速度を落とし、ホームにすべり込んだとき、陽はもうだいぶ傾いていました。小さな駅です。ホームには屋根もありません。小さなベンチが一つあるきりです。空気が夕方の光を含んでまぶしいほどでした。

「おお!」

2と帽子が歓声を上げました。窓の外に、きゅうりの家族が立っていました。一体何人いるのでしょう。太ったきゅうり、やせたきゅうり、年とったきゅうり、子供のきゅうり。みんな笑ったり叫んだり、手をふったりしています。

「おお……」

2と帽子は、もう一度言いました。

きゅうりは何も言えませんでした。胸がいっぱいだったのです。

再会はながくながくかかりました。一人一人と抱擁をかわすからです。きゅうりだけでなく、2と帽子も、歓迎の抱擁を受けました。

最初にきゅうりを抱きしめた、大柄な女性がお母さんでした。二番目にきゅうりを抱きしめた、小柄な男性がお父さんでした。ほかに、叔母《おば》さんだの叔父さんだの、叔母さんの友達だのその娘だの、みんながきゅうりを迎えに来たのでした。

いまや二十人連れとなった一行は、三台のピックアップトラックに分乗して、きゅうりの家に向かいます。

駅のまわりには何もありませんでした。見渡す限り畑です。ところどころに小屋があり、それは、雑貨屋と、休憩所と、ホテルと、バーでした。休憩所というのは、まあ簡素な喫茶店といった風情《ふぜい》のものです。天井に大きな扇風機がまわっており、つめたくて甘いミントティを飲ませてくれます。暑い土地ですから、ここではみんなミントティを飲むのです。

きゅうりの家族は、帽子を帽子さんと呼び、2を2さんと呼びました。これは、帽子をきまりの悪い心持ちにさせました。というのも、2はきゅうりをきゅうりくんと呼びますが、帽子は呼び捨てにするからです。しかも、頭に必ず「おい」をつけました。帽子は、ここではきゅうりに呼びかけないことにしよう、と決めることで、なんとかそのきまりの悪さをしのぎました。生来、帽子は一匹狼《いっぴきおおかみ》で、団欒《だんらん》に不慣れなのでした。

その点、2は、彼らの親切にすっかり感じ入っていました。生来、素直なのです。普段役場でお客さんに親切にしても、お客さんの方は無愛想なことがほとんどでしたから、親切にされると実に嬉《うれ》しくなってしまうのでした。

きゅうりの家は、海辺に建っていました。ふるい、木造の、コロニアルスタイルの豪邸でした。庭にはバラやグラジオラスが植えられ、子供たちのためのブランコやすべり台があります。ポーチでは、きゅうりのおじいさんとおばあさんとひいおばあさんとその妹が、食前酒の準備をしてくれていました。

（また抱擁がはじまるぞ）

帽子は内心そう思い、勿論《もちろん》、そのとおりでした。あたりは、その日最後の日光と、潮の匂いに包まれています。

2と帽子は、それぞれの部屋に案内されました。どちらも立派な部屋でした。

「くつろいで下さいね」

お母さんに言われ、2はくつろげそうな気がしましたが、帽子はしませんでした。

「でも、これが旅だ」

お母さんがいってしまうと、帽子はにやりとひとりごちました。

その晩は、深夜まで宴会でした。ごちそうが並び、お酒はきりもなく出てきます。きゅうり一族の男性は、みんな大酒飲みでした。女性のうち何人か、は、それ以上の大酒飲みでした。帽子はすこし、ほっとしました。

「すくなくとも、酒はある」

きゅうりがあらかじめ手紙で知らせてあったので、2のための、新鮮なグレープフルーツジュースも準備されていました。

海からの涼しい風が吹き、虫の声が聞こえています。親戚《しんせき》の誰彼の消息や噂話《うわさばなし》が続き、テーブルは賑《にぎ》やかです。南のきゅうりはみんなそうですが、この一族も笑い上戸なので、ときにけたたましいほどの笑い声がひびきます。

「いいなあ、大家族は」

2が言いました。数字というのは絶対に核家族なのです。そういうものです。

「まったくだ」

なかばやぶれかぶれに、帽子も同意しました。

庭では、帽子の連れてきたカメたちが、月光を浴びて歩きまわっています。

翌日は、みんなで海水浴をしました。きゅうりは存分に泳ぎ、2は日光浴を楽しみました。帽子は読書をしてすごしました。

三日目は、三人で隣町にくりだしました。その町にはドッグレース場がありましたので、帽子はばくちに興じました。

四日目は、散歩と昼寝の一日でした。夜は庭で花火をしたり、駅のそばのバーですごしたりしました。バーにはジュークボックスがあり、頰《ほお》に傷のあるバーテンがいました。

こうして、2は着実に、帽子はのらりくらりと、この土地の空気を味わいました。

「いいところだなあ」

2はしみじみと言いました。帽子も――いろいろ難点はあるにせよ――環境のいい土地だと認めざるを得ませんでした。

「でも、そろそろ飽きてきたな」

そう白状したのは、きゅうりでした。都会に憧《あこが》れ、親族会議の末に街に出たきゅうりなのです。四日が限度でした。

そこで、三人は街に帰ることにしました。自分たちの生活のある街、あのアパートのある街にです。

五日目にお別れの宴会が催され、六日目の午後に、三人はそこをあとにしました。きゅうりの家族はまた三台のピックアップトラックを連ね、駅まで見送りに来てくれました。ながいながい時間をかけて、また抱擁がくり返されます。

帽子は、カメを一匹置いて帰ることにしました。きゅうりの弟の一人が、そのカメを気に入ってしまったのです。

「元気でな」

帽子はカメに言いました。帽子以外は誰も知らないことですが、そのカメはリリ

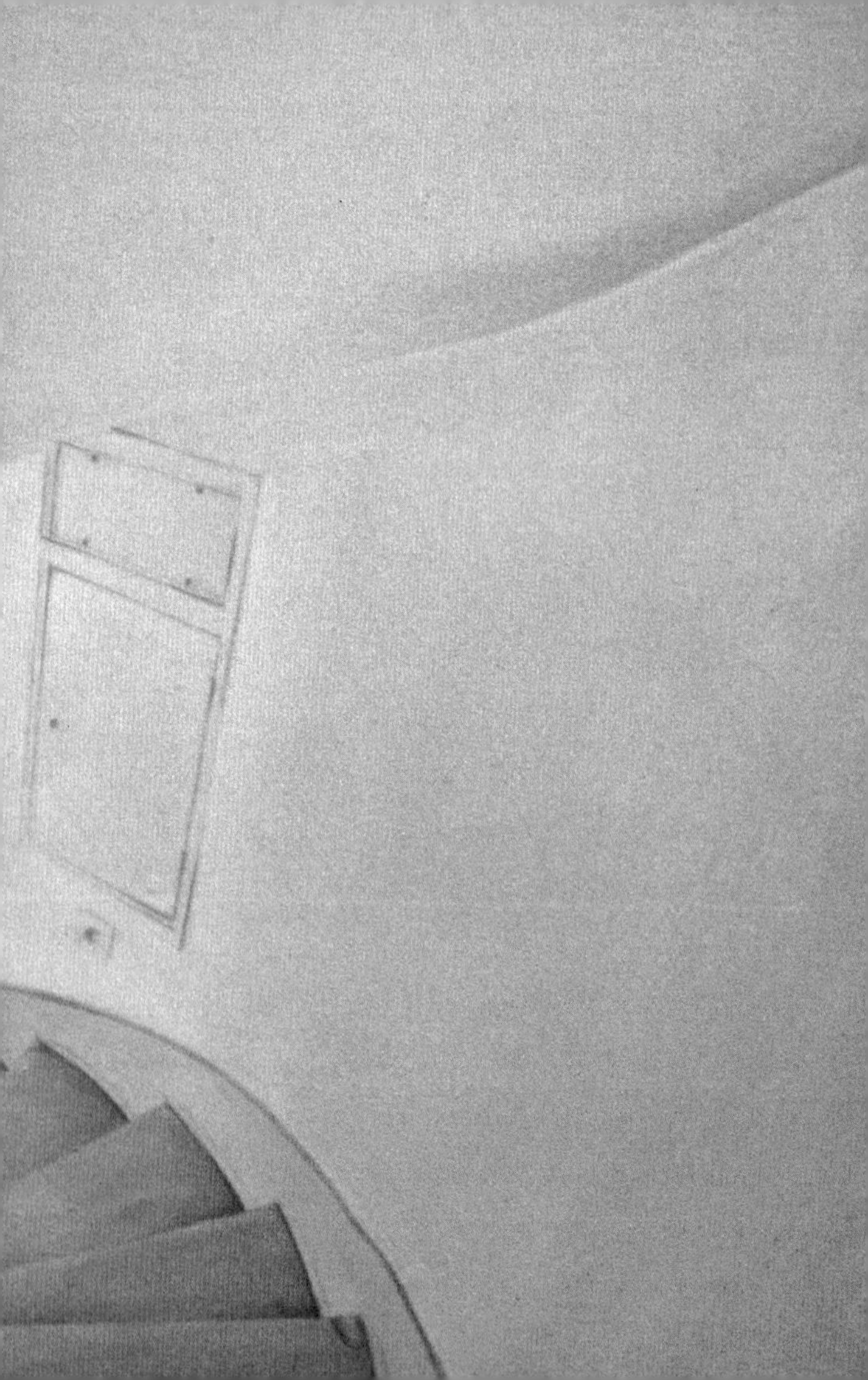

ーでした。リリーは、海辺のカメになりました。

発車時刻です。三人はあわただしく列車に乗り込みました。

「名残《なご》り惜しいな」

2が言いました。

「いい家族だな」

帽子も正直に言いました。きゅうりは何も言いませんでした。また、胸がいっぱいだったのです。

子供たちはみんなハンカチを振っています。お母さんは水色のスカーフを、おばあさんはひらひらのついたピンク色のスカーフを、ひいおばあさんは黄色い水玉のスカーフを、それぞれ頭に巻いていました。きゅうりの買って帰ったおみやげです。

小さな駅です。ホームには屋根もありません。小さなベンチが一つあるきりです。その風景は、でも2と帽子の目に、来たときとは全然ちがうふうに映りました。よく知っている、親しくなつかしいもののように。

きゅうりの目には、来たときとおなじように映りました。親しすぎる、淋しい、そして、いつか戻って来るであろう場所のように。

旅はすばらしいものでした。でも、旅というのがたいていそうであるように、三人とも、自分のうちに帰れることが、嬉しくてほっとするのでした。

不変なるもの

アパートが取り壊しになる、という衝撃的な内容の貼り紙が、玄関ホールに貼りだされたのは冬のはじめのことでした。

大きな立体駐車場つきの、スーパーマーケットが出来るのです。三人の住んでいるアパートを含む、東のはずれのふるい一角は、そのために取り壊されることになりました。

スーパーマーケットが、街の人々の望んでいるものでした。

「致し方ありません」

住人に説明を求められると、大家さんは淋《さび》しそうにそう言うのでした。春までに立《た》ち退《の》いてくれるよう、その貼り紙は求めていました。引越しのためのお金がほんのすこし、出るようです。

三人が見たとき、貼り紙は誰かの手で一度破かれたあとでした。セロテープでつ

なぎ合わされていましたので、それがわかりました。

「冗談じゃない!」

読み終わり、反発したのは2でした。

「断固たたかうべきだ!」

でも、帽子もきゅうりも、すぐにはこたえませんでした。帽子は考えごとをしていたからで、きゅうりはまだ読んでいる途中だったからです。

「僕たちにはここに住む権利がある」

2は、かまわず続けました。

「賃貸契約書があるし、毎月家賃を払ってるんだから」

2が憤るのも無理はありません。このアパートが、とても気に入っているのです。きゅうりも、2に劣らずここを気に入っていました。でも、ようやく貼り紙を読み終わったとき、きゅうりの口からでたのは、

「引越しか」

という言葉でした。しかも、それはなんだか嬉《うれ》しそうな声でした。

「なんだって？　きみ、まさかとは思うけど、おめおめと引越すつもりじゃないだろうね」

おどろいた2は、強い調子で訊《き》きました。

「そりゃ引越すさ」

きゅうりはこたえます。そういう性質なのです。

「僕は勇敢なきゅうりだからね」

そう言って、にっこり笑いました。

帽子は、二人の横で、まだじっと考えごとをしています。

「一体何を考えてるんです？」

業を煮やした2が訊きました。帽子はひっそり微笑《ほほえ》んで、

「俺は別に勇敢な帽子ではないが」

と、言いました。

「でも、引越しか、と、考えていた」

これには、2は大変に失望しました。

「二人とも、どうかしている」

強い口調で、そう言いました。

帽子の考えごとは、帽子にとって、実はお馴染《なじ》みのものでした。それについて考えるのは随分ひさしぶりでしたから、旧《ふる》い友達にばったり会ったような気がしたほどです。それは、無常ということでした。

「大騒ぎするほどのことじゃない」

帽子は言いました。

「世の中に、不変なるものはないんだ」

2は納得がいきませんでした。前にも述べたことですが、割り切れない気持ちほど、2を苦しめるものはないのです。そこで、2は憤然と二人に背を向けて、自分の部屋に帰りました。すくなくとも、貼り紙を破いた人がいるのです。（その誰かと結託し、反対運動をしよう）2は、そう思いました。

「なつかしいなあ」

去っていく2の後ろ姿を見送りながら、きゅうりが微笑んで言いました。

「はじめて会ったときも、彼は腹を立てていたなあ」

何に腹を立てていたか、は、もう憶えていませんでした。あるいは、あまり重要なことではありませんでした。

「うん」

帽子もうなずきます。

「腹を立てやすい奴《やつ》だな」

そう言った帽子の声にも、どこか微笑が含まれていました。そして、二人のその口調は、いとおしそうでもありあきれているようでもあり、ちょっとだけうらやましそうでもあるのでした。

そのあとのことですが、2は、アパートの住人全員に結束を呼びかける手紙を書き、貼り紙を破った張本人——きゅうりの隣の部屋の住人でしたが——を含む、二人の同志を得ました。彼らはアパート取り壊しの反対運動をはじめ、玄関ホールの壁にびっしりビラを貼ったり、道ゆく人に署名を求めたりしました。

2にとって、そういう活動をするのは無論はじめての経験でしたが、それはとても充実感があり、気持ちの高揚する、でもそれに勝るとも劣らないくらいくたびれる、経験でした。

（きゅうりと帽子が一緒にやってくれたらなあ）

2はときどきそう思いましたが、思っても詮《せん》ないことでした。数字は元々独立独歩を旨としますから、2は、数字らしくちゃんと一人で――同志は二人いましたが、二人とも、2とはあまり気が合いませんでした――やりとげてみせるぞ、と、心に決めるのでした。

きゅうりは職場への行き帰りに自転車で不動産屋に立ち寄って、新しい部屋を探していました。北風が落ち葉を吹き散らすような寒い日も、きゅうりは平気でした。故郷のおばあさんから最近送られてきたばかりの、あたたかい黄色い衿巻《えりまき》を金の鎖の上に巻き、さっそうと自転車にまたがるのでした。

いろいろな運動器具がありますし、2の椅子《いす》や帽子の壷《つぼ》もありますから、広い部屋でなくてはなりません。

「台所は、出来れば対面式がいいな」

きゅうりは不動産屋に注文をつけました。

「リビングには大きな窓が要る。月や星がみえたら素敵だからね」

そして、あまりにも注文をつけすぎたかな、と、きまり悪く感じると、きゅうりは、

「なにしろ友達の集まる部屋なもんでね、僕は責任重大なんですよ」

と、つけたすのでした。

その頃帽子はと言えば、無常感にすっかりとりつかれていました。朝起きても無常を感じ、夜寝るときも、無常を感じます。

「忘れていたよ」

帽子は、カメたちにそう話しかけました。

「世の中は変わっていく。ばあさんは死んだし俺は旅に出た。帽子ってものは、ひとところに安住していられるものじゃないんだ。そんなこと、俺はとっくの昔に知っていたのに、ここんとこ、どういうわけか、忘れていた」

まだ昼間でしたが、帽子はウイスキーをちびちび啜《すす》っていました。

――ウイスキーはあたしたちの薬だよ。

おばあさんの言葉が思い出されます。

「なんでだろうな、油断していた」

カメたちは、なぐさめようとでもするかのように、つめたく湿った身体《からだ》で、帽子をやさしく踏みしだくのでした。

「ここが、ほかの場所よりいいって法はない」

帽子は言いました。それが帽子の考え方なのです。

でも、現実として、帽子はこのアパートが好きでした。低木が四角く植わっている中庭や、うす暗くひいやりした玄関ホール、外から帰ったときに感じる、かならずしもいい匂いとは言えない湿度のある独特の匂い、がたがたと、びっくりするほど大きな音をたてて動くエレベーター。

ここ数日帽子を悩ませているのは、無常ではなく、それを自分がいつのまにかすっかり忘れていたという事実なのでした。

ウイスキーは薄目につくってありましたから、なんだかわびしい味がしました。

「帽子に安住の地はないんだ」

半ば自らを叱るように、帽子は、ハードボイルドな帽子らしく、そうつぶやきました。

初雪

ところで、アパートの取り壊しについて、おなじように胸の内で無常感とたたかっている者がいました。黒猫です。

隅の花壇で産み落とされて以来、黒猫は、もう十七年もこの中庭に住んでいました。途中何度もそこを飛び出し、そのたびに何カ月も放浪しましたが、結局ここに帰りました。あるときは傷ついて、また、あるときは雌猫を連れて。

中庭は、黒猫の思い出そのものでした。トカゲやセミをもてあそんだ、子猫だった日々。そこからはじまった数々の冒険、数々の失敗、数々の決闘。雌猫たち。ときどきふらりとやって来る帽子にさえ語ったことはありませんでしたが、黒猫にもまたたくさんの思い出がありました。

大家さんは、黒猫をただ「猫」と呼びます。ただ「猫」と呼んで、中庭に置いてくれるのです。出ていけば、止めませんでした。戻ってくれれば、迎えてくれました。

黒猫は、大家さんがすこし好きでした。それで十分でした。

黒猫は、ここでたくさんのものを見ました。いたずらだった大家さんの子供たちが大人になり、それぞれ出ていって、夫婦二人になったさま、ひらひらとあかるく美しかったのに、黒猫がついなぶり殺してしまった多くの蝶《ちょう》たち、アパートの住人たち。

黒猫は、アパートの石壁にくっついて眠るのが好きでした。ざらりとする壁の感触と、毛がわずかにひっかかる感じも好きでした。誰かが中庭を通るたびに、片目だけ開けて見るのでした。

黒猫は、いま、冬の庭を歩きまわりながら、あたたかな春の日を思い出していました。ダリアのしげみを歩くとき、花びらにひげがあたる瞬間や、花壇の中でもとりわけ土のやわらかい場所に咲く、スミレの花の上での昼寝。

黒猫はもういい加減年をとっていましたから、変化は苦痛でした。いつかこの庭で死ぬのだと思っていました。旅は、若い頃にし尽くしました。

「ニニ」

黒猫は、しわがれ声で短く鳴くと、背中を弓なりにして、のびをしました。また、出かけなくてはなりません。今度住む場所がどこであれ、水と食事と毛布だけは、大家さんが与えてくれるでしょう。若かった頃なら、そんな情は屈辱的だと感じたでしょう。でも、いまはありがたいことでした。

ゆったりした足どりで、黒猫は玄関ホールに入りました。暗い、人気《ひとけ》のないそのホールは、黒猫の足のうらのやわらかい肉球に、ぴと、ぴと、と、つめたくかたい感触を残します。

「ニニ」

黒猫は、すこし大きな声で鳴き、大家さんを呼びました。抱いてもらいたかったのです。大家さんの足に身体《からだ》をこすりつけ、抱き上げられたら大人しくじっとして、一緒にいく、という気持ちを伝えるつもりです。

「ニニ」

あたりはしんと静まりかえり、誰も出てきません。黒猫には読めませんでしたが、ホールの壁には、2たちの書いた立ち退《たの》き反対のビラが、何枚も貼られていました。

夕方でした。アパートの外では、その年最初の小さな雪ひらが、鈍色《にびいろ》の空から降りてくるところでした。

どんちゃん騒ぎ

反対運動というのがたいていそうであるように、2のやっていた運動も、たちまち頓挫《とんざ》しました。新しく出来るスーパーマーケットの社長や、建設会社の社長がやって来て、みんなに説明をしました。その二度の説明会で、同志二人は反対意見をひっこめました。2はあきれましたが、一方ではほっとしてもいました。奇数ならともかく偶数の2に、争いごとは本来不向きなのです。数字の中でももっとも協調性の高い、2という数字に生まれついた自分を、2は半ば誇りに、半ば不甲斐《ふがい》ないものに、感じつつ生きてきたのです。

帽子ときゅうりは、2をねぎらいました。2に対し、自分たちに出来るのがそれくらいのことしかないというのは、彼らにとっても辛《つら》い気持ちになることでした。

「こんな日は、どんちゃん騒ぎに限るな」

帽子が言いました。

「どんちゃん？　誰です、それ」

きゅうりが訊《き》きました。きゅうりは、どんちゃん騒ぎは得意でしたし、親戚《しんせき》一同でよくやっていましたが、そういう言葉は知りませんでした。

「そんな気分じゃないな」

2は、あまり気乗りのしない様子です。2の場合、きゅうりと違ってそのくらいの言葉は知っていましたが、実際にやったことはありませんでした。つまり、名実ともにどんちゃん騒ぎを――その効用も含めて――知っているのは帽子だけでした。

「出かけよう」

そこで、帽子はそう言いました。

街は賑《にぎ》やかです。三人はそれぞれオーバーコートに身を包み、酒場へとくりだしました。

帽子は、二人を、2がそれまで「いかがわしい」ので近づくまいと決めていたあたり、きゅうりがそれまで「危険らしい」から近づくまいと決めていたあたりに連れだしました。

細い路地が入りくんで、いかにも治安の悪そうな場所です。ところどころ街灯の電球が割れているので、街が片目のジャックみたいな顔に見えました。ところどころに毛皮を着た女の人が立っています。

「おだやかじゃないな」

2がおそるおそる言いました。

「でも、いい匂いだ」

きゅうりが鼻で息を吸い込みながら、言いました。ガーリックをいためる匂いです。

その店は地下にありました。狭い階段を下りてドアを開けると、そこは、耳を吹きとばさんばかりに騒々しい、ごった返した、スナックのおいしい、スポーツバーでした。

三人は、入れ墨をした男や皿を高く掲げているウエイトレスのあいだを縫って、店の奥のカウンターにつきました。つくやいなや、隣に立っている男が話しかけてきます。白い光を放つ何台ものテレビから、アナウンサーの中継が聞こえていました。

「こりゃすごい」

きゅうりがおどろいて言いました。

「グレープフルーツジュースもあるんだろうか」

2は不安そうな口調です。

「ウイスキー」

帽子はバーテンに言いました。

一時間後、きゅうりはスポーツバーがすっかり気に入っていました。ビールを飲みながら、知らない客たちと一緒に、テレビのスポーツ中継にブーイングを送っています。2も、グレープフルーツジュースがあったので、とりあえず落ち着いて座っています。

二時間後、きゅうりは力自慢の客と腕ずもうをしていて、人垣の中心にいましたので、2と帽子からは見えなくなっていました。2は、帽子にすすめられ、ホットウイスキーをためしているところでした。それは、喉《のど》をうす甘い熱さで落ちていきます。

「穏やかな場所ですね」

2が、微笑《ほほえ》んで言いました。

「おもしろいな。あんまり人がいすぎて、誰もじゃまにならない」

帽子は煙草《タバコ》に火をつけて、2の顔をじっと見ました。

「俺には、ウイスキーがあればどこもおなじだ」

2は首をかしげました。

「おなじ、ですか?」

帽子は、自分が失敗したことを悟りました。おなじではないからです。2ときゅうりに出会ってしまった以上、2ときゅうりのいる場所といない場所は、帽子にとって違います。帽子は、でもそのことを言葉にされたくありませんでした。そして、2は、しませんでした。

「引越しても、ここにはきっとまた来ますね」

苦手なお酒を慎み深くすこしずつ啜《すす》りながら、そう言っただけでした。

もう、深夜をとっくにすぎていました。でも、そこは、みんながどんちゃん騒ぎをしに来る場所ですから、夜が更ければ更けるほど、ますます賑やかになっていくのでした。笑い声や、ジョッキのぶつかり合う音、口笛や、嬌声《きょうせい》、周囲の物音に負けまいとしてだされる大声。

きゅうりは楽しくて頰《ほお》を紅潮させていましたし、2は慣れないホットウイスキーのせいで目の下を赤らめていました。帽子はいつもの顔色でしたが、2ときゅうりをちゃんと連れて帰る責任があるように感じていましたので、すこし気疲れをしました。

テレビのスポーツ中継はもう終わっていましたが、ビデオに録画したものが、また、流されています。アパートに帰ったら、三人ともぐっすり眠ることでしょう。

約　束

さて。このお話はもうじきおしまいです。

冬がすぎて春が来るまでに、アパートの住人たちは、次々引越していきました。

三人のうち、最初に引越したのはきゅうりでした。公園をはさんで街の反対側にある、大きなアパートに越しました。運動器具を置く十分なスペースがあり、キッチンは対面式でした。その上シャワーの湯量も豊富でしたので、きゅうりは大変満足でした。

下の部屋にはスノッブな新婚夫婦が、上の部屋には陰気なキノコ学者が、それぞれすでに住んでいました。まだゆっくり話してはいないのですが、たぶん悪い人たちじゃないだろう、と、きゅうりは思いました。

ひととおり荷物を運び込むと、きゅうりはその新しい部屋に、2がいつか役場から持ってきた、海辺の街のポスターを貼りました。2の椅子《いす》と、帽子の壺《つぼ》と灰皿も置きました。これで、いつ友達が訪ねて来ても大丈夫です。

　次に引越したのは、2でした。街の真ん中の、繁華な場所の小さなアパートに越しました。車の往来がはげしく、夜になると若者が爆竹を鳴らすような場所でしたけれども、通勤には便利でした。近くにいい果物屋があるのも、2には嬉《うれ》しいことでした。果物屋の主人は眼鏡《めがね》をかけた温厚な人物で、朝早くから夜遅くまで、店を開《あ》けています。2はここで、二日に一度、グレープフルーツを買うことになります。

　2の引越したアパートの、隣の部屋にはやがて若い女性が引越してきます。子供のいる女性で、本屋に勤めているのでした。その本屋は変わった本屋で、ヨガやフェミニズムや自然食の本ばかり扱っています。2は、この女性のために、ときどき頼まれて仕事帰りに買い物をしてあげることになります。パンとか、洗剤とか、そんなものです。働いていて、しかも小さな子供がいると、なかなか買い物にいかれませんからね。

　はじめのうち、2は、勿論《もちろん》毎晩のようにきゅうりのアパートに遊びにいっていました。そこで特製のいり玉子を食べたり、ラジオを聴いたり、きゅうりの新しい友達のキノコ学者を紹介されたりしました。でも、そこは2の職場からもアパートからも遠い場所でしたから、訪問は、次第に間遠になりました。

帽子は、十二ある部屋の十二組の住人のうち、いちばん最後までホテル カクタスに残りました。冬がすぎて春が来るまでのあいだに、一人また一人と住人がいなくなるのを、カメたちと窓から見届けていました。

引越先は、もう決めてありました。街の南の、川のそばの一軒家です。もっとも、帽子が住むことになるのは、その一軒家の離れ、いままでは物置として使われていた、陽のまるで射さない、傾いたあばら家です。帽子はそこを、おどろくほど安いお金で借りることが出来ました。陽が射さないことは、帽子にはむしろ好都合でした。夥《おびただ》しい数の本の背表紙が、陽に焼けて傷む心配をせずにすむからです。

帽子は、でもいまそのあばら家に住んでいません。どういうことかというと、これは、帽子にとって、いい機会だったのです。無常をかみしめるための、そして無常をかみしめる帽子にふさわしく、ひさしぶりに旅に出るための、いい機会でした。

それで帽子はそうしました。引越しをすませ、荷物をあばら家に収めて鍵《かぎ》をかけると、カメたちを連れて旅に出たのです。

「いつ帰って来るんです？」

駅のホームで、きゅうりが訊《き》きました。

「旅っていうからには、いつか帰って来るんですよね」

2も念をおしました。帽子は、うしろ髪を引かれつつハードボイルドに旅立つ、という状況が好もしく思えましたから、思うさまハードボイルドに、

「いつかはな」

と、こたえました。

「手紙をくれますか？」

きゅうりの質問には、ひっそりと微笑《ほほえ》んで、

「心がけよう」

とだけ、こたえました。

「はやく帰って来た方がいいですよ」

2は言いました。

「つまり、荷物が置きっぱなしなわけだし。どろぼうが入るといけないから」

帽子は片手を上げました。それは、わかってる、という意味にもとれましたし、発車時刻だ、という意味にもとれました。ちょうど、車掌が笛を吹いたところでしたから。


「帰ったら、またどんちゃん騒ぎをしましょう」

2がそう言うのと、列車の扉が閉まるのと、同時でした。帽子は、力強くうなずきました。


「約束ですよ」

きゅうりが言い、帽子はもう一度うなずきました。列車はもう動きはじめています。


「約束か。いいとも、約束しよう。あとは野となれ山となれ」

帽子のそのつぶやきは、2にもきゅうりにも聞こえませんでした。

ともかくそんなふうにして、三人は「約束」をしました。三人のした、はじめての大切な約束でした。

帽子はやがて帰って来ることになります。三人は再会し、約束どおり、どんちゃん騒ぎを——それははじめは不自然で、なんとなくぎくしゃくしたものになるでしょうけれど——するでしょう。またきゅうりの部屋に集まって、それぞれの人生の新しい出来事を語り合ったり、お酒を飲んだりするかもしれません。

でもそれは、また別の物語です。

ある街の東のはずれに、ふるいアパートがありました。ふるい、くたびれたアパートです。灰色の、石造りのそのアパートは、でも中に入るとひんやりとして、とても気持ちがいいのでした。

ホテル　カクタス、というのが、そのアパートの名前でした。ホテルではなくアパートなのに、そういう名前なのでした。

ホテル　カクタスには、かつて、帽子ときゅうりと数字の2が住んでいました（中庭には黒猫も住んでいました）。

でもそのなつかしいアパートは、もうどこにもありません。

解説——ようこそ「ホテル カクタス」へ

高橋源一郎

ぼくは江國香織さんの小説が大好きです。だが、「良きもの」、「魅力あるもの」、「素敵なもの」が、そのように「良きもの」、「魅力あるもの」、「素敵なもの」である理由をうまく説明することは、どんな場合にも、たいへん困難なのです。

でも、頑張って、その困難な仕事に挑戦することにしてみましょう。

ぼくの本棚の中から、なんでもいいから、江國さんの小説を一冊抜きだし、ぱらぱらとめくってみます。すると、あちこちにたくさん、傍線が引いてあるのがわかります。ぼくには、本を読みながら、気にいったところに傍線を引く癖があるのです。

たとえば、こんな個所。

「きょうは革靴を二足とカプチーノ用のミルクフォーマーを買った。ミルクフォーマーは、気に入ったものをみつけるのにインテリアショップを四軒もまわった。水沼は首尾一貫しているだけじゃなく、快適な生活のための労を惜しまない、と、陶子は思う。その子供じみた熱意やある種の真面目さは、みていて胸が痛くなるほどだ」（『薔薇《ばら》の木　枇杷《びわ》の木　檸檬《れもん》の木』）

ぼくは、とりあえず、傍線を引いてしまうだけで、その理由までは考えません。ただ「いいなあ」と思うだけです。「革靴を二足とカプチーノ用のミルクフォーマーが気にいったのか？　いや。そんなものを買うために「インテリアショップを四軒もまわった」ことが気にいったから？　いや。では、「快適な生活のために労を惜しまない」水沼が気にいったから？　いや。んじゃ、そういう男を「みていて胸が痛くなる」陶子が気にいったから？　いや。じゃ、なぜ？　だから、ぼくは、それらのすべてが組み合わさっていることが気にいったのです。

そうです。江國さんのように、たくさんの魅力的な「もの」について書く作家は他にもいます。そのような「もの」に囲まれる「現代」という時代を生きる人物について書く作家もいます。けれど、「もの」と「ひと」の関係を描くことが、「ひと」と「ひと」の関係を描くことと、チャーミングに、かつ肯定的に繫がっている作家は、江國さんの他にいないのです。ちょっと、わかりにくい説明になっちゃったかもしれませんね。

少し言い方を変えてみましょう。

小説というものが面白いのは、そこに「ひと」が出てくるからです。そして、人間というものは、なにより、ずっと「ひと」が出てくるものにもっとも深い興味を抱くものだったのです。

もちろん、人間は、「ひと」が出てこないものにもまた深い興味を抱きます。音楽には「ひと」が出てきません。でも素敵。絵画や彫刻には「ひと」が出てきたり、出てこなかったりします。つまり、どちらだってかまわない。戯曲や映画は「ひと」がいなくちゃはじまらない。問題は詩だけれど、あの芸術のおそろしいところは、「ひと」が出演していなくてもぜんぜん平気なところです。もしかしたら、神さまのメッセージを翻訳するところから、スタートしたせいなのかもしれませんね。詩には「言葉」（あるいは霊感）だけあれば十分なのです。

小説は、ぜんぜんちがいます。「ひと」がいなければ、なにもはじまらない。

しかし、そこにまた、小説というもののやっかいなところがあるのです。

小説は、ずっと「ひと」を描こうとしてきました。なにより、目の前にいる、その時代の「ひと」のことをです。そのために、いろんな時代の作家たちは、「ひと」を描く術《すべ》を研究し、開発し、精進し続けてきたのです。その「ひと」の周りを詳しく描き、その「ひと」のしゃべる言葉を詳しく描き、そして、その「ひと」の内面の心の呟きまで、詳しく描くようになったのです。なのに、ちっとも、（作者も読者も）気分が晴れませんでした。

それは、いくら、その「ひと」のことが詳しくわかっても、ちっとも嬉しくないからでした。

ぼくたちは、なぜ小説を読み、あるいは書こうとするのでしょうか。それは、「ひと」に興味があるからです。しかし、それはただの「興味」ではありません。自分もまた、その「ひと」と同じ「ひと」であり、それ故、自分が生きていくためにどうしても知らねばならない知識としての「興味」なのです。だから、詳しければいいというものではなかったわけです。

小説を書くことによって（書かなくてもだけれど）、あるいは読むことによってわかったのは、「ひと」というものは、その存在だけを凝視してはいけないということでした。それは、「ひと」と「ひと」とが、その間になにも介さずに直接向かい合うなんてことは、考えものだということです。

「ひと」が直接向かい合うと、なにが起こるのか。不幸なことが起きます。それが近代小説によってわかった、もっとも大切なことでした。向かい合うことによって、「ひと」と「ひと」は、ただ言葉をぶつけあう。言葉というものは、実体がありません。だから、そのはっきりしないものを交換することで、「ひと」たちの間にはストレスがたまっていく。その不幸のみを、近代小説は描いてきたのです。

そこに、江國さんのような小説家が現れた。そして、彼女は、「ひと」と「ひと」の間に「もの」を差し入れたのです。

それは、ただの「もの」であってはなりません。きちんとした「もの」でなければならない。「子供じみた熱意やある種の真面目さ」をもって見つめられるようなものでなければならない。そのような「もの」である時だけ、はじめて、その「もの」に、他のもう一人の「ひと」もまた見入ってしまうのです。

「ひと」と「ひと」が、同じ「もの」を見つめる時、「ひと」と「ひと」は同じ姿勢をとります。その時、「ひと」と「ひと」は、自分たちが共同のなにかをなし遂げたと感じるのです。そして、そのようなものを「生活」と呼ぶべきではないのでしょうか。そして、「生活」こそ「生きる」ことの実体ではないのでしょうか。

ぼくが、江國さんの小説から受け取るのは、以上のようなメッセージです。

『ホテル　カクタス』の話をしましょう。

『ホテル　カクタス』は、江國さんの作品としてはちょっと変わったものです。恋愛小説ではないし（「恋愛」はちょっと出てくるけれど）、だいたい、この小説には「ひと」が出てこないみたいです。あれれ。ついさっき、ぼくは、「小説は……『ひと』がいなければ、なにもはじまらない」と書いたばかりではなかったっけ。

この小説は、「ホテル　カクタス」という名前のついたアパートに住む二人の「住人」の物語です。それでもって、この「住人」というのが、「帽子」と「数字の2」と「きゅうり」なんですね。実際、読む前に、ぼくはちょっと心配したのですよ。なにしろ、「ひと」が出てないんだから。いつもの江國さんの小説とぜんぜん違っていたらどうしよう。そう思ったのでした。

でも、心配することなんかぜんぜんありませんでした。ここにも「ひと」は登場していたのです。いや、いつもの江國さんの小説よりも、もしかしたら、さらに江國さんらしい作品なのかもしれないとぼくは思ったのでした。

「帽子」は、「無職で、かつて行商で貯めたお金で、ほそぼそ食いつないでい」て、「掃除をするという習慣がな」く、ウイスキーを飲み、ペットのカメを飼っている。なるほど。「帽子」というものにもし性格があるとするなら、そうなのかもしれない、と読者は思う。

「数字の2」はというと、役場につとめていて、優柔不断で、友だちなどなく、神経質なほど綺麗好きで、「割り切れないもの」はダメで、アルコールもダメで、グレープフルーツジュースばかり飲んでいるそうです。なるほど。「数字の2」なんだから、そうに決まっている。

最後に「きゅうり」はというと、たいへん親孝行で、ガソリンスタンドに勤めていて、おおらかな性格で、暇な時には部屋に持ち込んだ運動器具で体を鍛えるのが趣味というやつなんだそうです。飲むならビール、ただし煙草は吸わないし、「身も心も真っ直ぐ」だから「椅子に座ること」もできない。なるほど。さすが「きゅうり」。

そのような三「人」が、どのように知り合い、どのように友情を深めていったのかを、この不思議な物語は語っています。

まったく気の合わない、性格も趣味もまったく異なる、三「人」は、「きゅうり」の部屋に集まって、話をしながら、少しずつ、「心」を通わしていきます。この三「人」は具体的な人間ではなく、典型的な「性格」である故に、いっそう、「ひと」らしく、読者に見えてきます。そのようにして、三「人」は、ばらばらな個「人」として、出会い、やがて、共通の体験へ至ります。


「でも、2は、まだレコードが終わらないうちに、突然スイッチを切ってしまいました。

『なんだ？　どうしたんだ？』

びっくりした帽子ときゅうりが、同時に声をだしました。

『とても聴けない』

2は小さな声で言いました。死んだお姉さんを思い出し、哀しくなってしまったのです。

それにしても不思議なことです。普段自分の部屋でこれを聴くときは、そばにお姉さんがいてくれるような気がして幸せな気持ちになりこそすれ、哀しくなったりしないのです。

『一体どうしたんだろう』

2は、ひとり言のようにつぶやきました。帽子にもきゅうりにも訳がわかりませんでしたが、何か個人的なことだろう、という程度の察しはつきました。

『音楽は、個人的なものだな』

帽子が言いました。きゅうりも2も深くうなずいて、それぞれの飲みものを啜りました。

『枝豆をゆでましょうか』

きゅうりが言い、ぱきっと立ち上がりました。

『いいね』

帽子がこたえます。そして、2は、ラジオをつけました。ラジオでは、あいかわらずろくなものをやっていませんでしたが、それでも何かはやっていました。三人とも口にはだしませんでしたが、ラジオを聴いて、ほっとしました」

ここでの「もの」は、まず音楽です。音楽を聴く時、「ひと」は必ず、同じ姿勢をとります。「ひと」と「ひと」は、横に並び、それぞれに音楽に耳をかたむけるのです。「音楽は個人的なものだな」という「帽子」の発言が可能になったのは、三「人」が一緒に、音楽を聴いたからです。ひとりでは聴こえなかったものが、三人で聴いた時に聴こえる。それは不思議でもなんでもありません。孤独であることを知るためには、ひとりでは不可能です。ひとりでは、孤独であることもわからないのですから。

そして、もう一つの「もの」。それは枝豆です。あるいは「枝豆をゆでる」ことです。「きゅうり」は、その瞬間、そのことが必要だと感じたのです。「きゅうり」は、動揺する「数字の2」に慰めの言葉をかけたりしませんでした。そのように向かい合うより、もっと大切なことがあることを直感で知っていたのです。

さらに、もう一つの「もの」……それが、なになのかは、解説なんか頼りにしないで、みなさんで考えてください。でも、このシーンの意味は、もうわかりましたね。ここで描かれているのは、「生きる」ことの実体としての「生活」です。そして、小説には、それ以上のことを書く必要はないのです。

profile

画／佐々木敦子　ささきあつこ

1963年　宮崎県生まれ
1984年　東京女子美術短期大学卒業
1986年　渡仏
1991年　パリ国立高等美術学校ボ・ザール卒業
以降、パリに拠点を置き、作品を発表する。
パリ大蔵省ビクトール・ショケ賞 第一席
アヴィニョン芸術展 銀メダル
ル・サロン（フランス芸術家協会） 銀メダル
本書の挿画はすべて油絵にて制作されたものである。

Hotel Cactus

この作品は、2001年4月、ビリケン出版より単行本として刊行されました。

集英社文庫

ホテル カクタス

2004年6月25日 第1刷
2021年9月8日 第5刷

定価はカバーに表示してあります。

著　者　江國香織《えくにかおり》
　画　佐々木敦子《ささきあつこ》

発行者　徳永　真

発行所　株式会社 集英社
東京都千代田区一ツ橋2-5-10　〒101-8050
電話　【編集部】03-3230-6095
【読者係】03-3230-6080
【販売部】03-3230-6393(書店専用)

印　刷　図書印刷株式会社

製　本　図書印刷株式会社

フォーマットデザイン　アリヤマデザインストア　　マークデザイン　居山浩二

本書の一部あるいは全部を無断で複写複製することは、法律で認められた場合を除き、著作権の侵害となります。また、業者など、読者本人以外による本書のデジタル化は、いかなる場合でも一切認められませんのでご注意下さい。

造本には十分注意しておりますが、乱丁・落丁(本のページ順序の間違いや抜け落ち)の場合はお取り替え致します。ご購入先を明記のうえ集英社読者係宛にお送り下さい。送料は小社で負担致します。但し、古書店で購入されたものについてはお取り替え出来ません。

© Kaori Ekuni/Atsuko Sasaki 2004　Printed in Japan
ISBN978-4-08-747709-2 C0193